JA

TALES OF THE FAR NORTH
HISTOIRES DU GRAND NORD

The Law of Life / La loi de la vie

Love of Life / La rage de vivre

To Build a Fire / Construire un feu

Short Stories / Nouvelles

Choix, traduction et notes par
Michel MARCHETEAU
Agrégé de l'Université
Professeur Émérite à l'École
Supérieure de Commerce de Paris

Les langues pour tous

Collection dirigée par Jean-Pierre Berman, Michel Marcheteau et Michel Savio

ANGLAIS Série bilingue

Niveaux : ❏ facile ❏❏ moyen ❏❏❏ avancé

Littérature anglaise et irlandaise

- **Carroll (Lewis)** ❏
  Alice au pays des merveilles
- **Churchill (Winston)** ❏❏
  Discours de guerre 1940-1946
- **Cleland (John)** ❏❏❏
  Fanny Hill
- **Conan Doyle** ❏
  Nouvelles (6 volumes)
- **Dickens (Charles)** ❏❏
  David Copperfield
  Un conte de Noël
- **Fleming (Ian)** ❏❏
  James Bond en embuscade
- **French (Nicci)** ❏❏
  Ceux qui s'en sont allés
- **Greene (Graham)** ❏❏
  Nouvelles
- **Jerome K. Jerome** ❏❏
  Trois hommes dans un bateau
- **Kinsella (Sophie), Weisberger (Lauren)**
  Love and the City ❏
- **Kipling (Rudyard)** ❏
  Le livre de la jungle (extraits)
- **Maughan (Somerset)** ❏
  Nouvelles brèves
- **McCall Smith (Alexander)**
  Contes africains ❏
- **Stevenson (Robert Louis)** ❏❏
  L'étrange cas du Dr Jekyll
  et de Mr Hyde
- **Wilde (Oscar)**
  Nouvelles ❏
  Il importe d'être constant ❏
- **Woodhouse (P.G.)**
  Jeeves, occupez-vous de ça ! ❏❏

Ouvrages thématiques

- **L'humour anglo-saxon** ❏
- **300 blagues britanniques
  et américaines** ❏❏

Littérature américaine

- **Bradbury (Ray)** ❏❏
  Nouvelles
- **Chandler (Raymond)** ❏❏
  Les ennuis c'est mon problème
- **Hammett (Dashiell)** ❏❏
  Meurtres à Chinatown
- **Highsmith (Patricia)** ❏❏
  Crimes presque parfaits
- **Hitchcock (Alfred)** ❏❏
  Voulez-vous tuer avec moi ?
  A vous de tuer
- **King (Stephen)** ❏❏
  Nouvelles
- **Poe (Edgar)** ❏❏❏
  Nouvelles
- **London (Jack)** ❏❏
  Histoires du grand Nord
  Contes des mers du Sud
- **Fitzgerald (Scott)** ❏❏
  Un diamant gros comme
  le Ritz ❏❏
  L'étrange histoire
  de Benjamin Botton ❏

Anthologies

- **Nouvelles US/GB** ❏❏ **(2 vol.)**
- **Histoires fantastiques** ❏❏
- **Nouvelles américaines
  classiques** ❏❏
- **Nouvelles anglaises classiques** ❏❏
- **Ghost Stories - Histoires
  de fantômes** ❏❏
- **Histoires diaboliques** ❏❏

Autres langues disponibles dans les séries de la collection

Langues pour tous

ALLEMAND - AMÉRICAIN - ARABE - CHINOIS - ESPAGNOL - FRANÇAIS - GREC - HÉBREU
ITALIEN - JAPONAIS - LATIN - NÉERLANDAIS - OCCITAN - POLONAIS - PORTUGAIS
RUSSE - TCHÈQUE - TURC - VIETNAMIEN

Sommaire

Prononciation

Elle est donnée dans la nouvelle transcription – Alphabet Phonétique International modifié – adoptée par A.C. GIMSON dans la 14e édition de l'*English Pronouncing Dictionary* de Daniel JONES (Dent, London).

Sons voyelles

[ɪ] **pit**, un peu comme le *i* de *site*
[æ] **flat**, un peu comme le *a* de *patte*
[ɒ] ou [ɔ] **not**, un peu comme le *o* de *botte*
[ʊ] ou [u] **put**, un peu comme le *ou* de *coup*
[e] **lend**, un peu comme le *è* de *très*
[ʌ] **but**, entre le *a* de *patte* et le *eu* de *neuf*
[ə] jamais accentué, un peu comme le *e* de *le*

Voyelles longues

[iː] **meet**, [miːt] cf. *i* de *mie*
[ɑː] **farm**, [fɑːm] cf. *a* de *larme*
[ɔː] **board**, [bɔːd] cf. *o* de *gorge*
[uː] **cool**, [kuːl] cf. *ou* de *mou*
[ɜː] ou [əː] **firm**, [fəːm] cf *e* de *peur*

Semi-voyelle

[j] **due**, [djuː], un peu comme *diou...*

Diphtongues (voyelles doubles)

[aɪ] **my**, [maɪ], cf. *aïe !*
[ɔɪ] **boy**, cf. *oyez !*
[eɪ] **blame**, [bleɪm], cf. *eille* dans *bouteille*
[aʊ] **now**, [naʊ] cf. *aou* dans *caoutchouc*

[əʊ] ou [əu] **no**, [nəʊ], cf. *e + ou*
[ɪə] **here**, [hɪə], cf. *i + e*
[eə] **dare** [deə], cf. *é + e*
[ʊə] ou [uə] **tour**, [tʊə], cf. *ou + e*

Consonnes

[θ] **thin**, [θɪn], cf. *s* sifflé (langue entre les dents)
[ð] **that**, [ðæt], cf. *z* zézayé (langue entre les dents)
[ʃ] **she**, [ʃiː], cf. *ch* de *chute*

[ŋ] **bring**, [brɪŋ], cf. *ng* dans *ping-pong*
[ʒ] **measure**, ['meʒə], cf. le *j* de *jeu*
[h] le *h* se prononce ; il est nettement <u>expiré</u>

Comment utiliser la série « Bilingue » ?

Cet ouvrage de la série « Bilingue » permet aux lecteurs :
• d'avoir accès aux versions originales de textes célèbres, et d'en apprécier, dans les détails, la forme et le fond ; en l'occurrence, ici, des nouvelles de **Jack London** ;
• d'améliorer leur connaissance de l'anglais, en particulier dans le domaine du vocabulaire dont l'acquisition est facilitée par l'intérêt même du récit, et le fait que mots et expressions apparaissent en situation dans un contexte, ce qui aide à bien cerner leur sens.

Cette série constitue donc une véritable méthode d'auto-enseignement, dont le contenu est le suivant :
• page de gauche, le texte en anglais ;
• page de droite, la traduction française ;
• bas des pages de gauche et de droite, une série de notes explicatives (vocabulaire, grammaire, rappels historiques, etc.).

Les notes de bas de page et la liste récapitulative à la fin de l'ouvrage aident le lecteur à distinguer les mots et expressions idiomatiques d'un usage courant et qu'il lui faut mémoriser, de ce qui peut être trop exclusivement lié aux événements et à l'art de l'auteur.

Il est conseillé au lecteur de lire d'abord l'anglais, de se reporter aux notes et de ne passer qu'ensuite à la traduction ; sauf, bien entendu, s'il éprouve de trop grandes difficultés à suivre le texte dans ses détails, auquel cas il lui faut se concentrer davantage sur la traduction, pour revenir finalement au texte anglais, en s'assurant bien qu'il en a maintenant maîtriser le sens.

Signes et principales abréviations
utilisés dans les notes

#	contraire de	*fig.*	figuré
△	attention à…	*invar.*	invariable
▲	faux ami	*litt.*	littéralement
abr.	abréviation	*pr.*	pronom
adj.	adjectif	*qqch.*	quelque chose
adv.	adverbe	*qqun*	quelqu'un
c.-à-d.	c'est-à-dire	*sb*	pronom
fam.	familier	*syn.*	synonyme

Michel MARCHETEAU, agrégé d'anglais, a été professeur à l'École Supérieure de Commerce de Paris. Il a également été conseiller linguistique au CELSA (Paris IV). Co-auteur de plusieurs ouvrages d'anglais commercial et économique et de méthodes audio-orales, il s'intéresse tout particulièrement à la diffusion des langues dans le grand public. Il est, avec J.-P. BERMAN et Michel SAVIO co-directeur de la collection *Langues pour tous*.

ISBN 978-2-266-13978-6

Introduction

Les nouvelles de **Jack London** présentées ici appartiennent au cycle du Grand Nord.

L'auteur y puise dans ses souvenirs et dans son expérience personnelle acquise au cours de son séjour en Alaska pendant la ruée vers l'or, en 1897-1898.

Expérience bien réelle de l'aventure : Jack London côtoya, dans la rude vie des camps, des chercheurs d'or, trappeurs, joueurs, conducteurs de traîneaux et guides indiens. Il fut lui-même porteur sur les pistes et raconte qu'il lui arriva de parcourir près de quarante kilomètres par jour, dont vingt environ avec sur le dos un chargement de soixante-dix kilos.

On retrouve dans ces nouvelles un des thèmes principaux de l'œuvre de London – thème commun à ses récits d'aventures et à ses ouvrages sociaux –, le combat de l'individu aux prises avec un environnement hostile. Mais c'est ici la thèse darwinienne de la lutte pour la vie et de la survie des mieux adaptés (*The survival of the fittest*) qui est clairement illustrée.

Si la mort est une menace constante dans cet univers glacé et implacable, les personnages l'appréhendent de façon diverse : résignation atavique de l'Indien dans *The Law of Life*, révolte et acharnement à survivre de l'homme blanc dans *Love of Life*, inconscience fatale dans *To Build a Fire*.

Ces trois nouvelles illustrent l'art de conteur de Jack London (réalisme, richesse et précision dans la description des événements et des sentiments, rythme du récit qui tient sans cesse le lecteur en haleine) et permettent de mieux comprendre pourquoi il séduit des publics de tous âges : derrière la simplicité apparente des phrases courtes et nerveuses du récit d'aventures, l'on sent affleurer les intentions morales et la vision cosmique de l'auteur.

Chronologie

1876   12 janvier : Naissance à San Francisco de Jack, fils de William Henry Chaney, astrologue itinérant, et de Flora Wellman. Huit mois plus tard cette dernière épouse un ouvrier agricole, John London, qui donne son nom à l'enfant.

1883   La famille se déplace plusieurs fois, John London changeant fréquemment d'emploi. Le jeune Jack connaît la misère et la faim.

1884   A 8 ans, découvre le plaisir de la lecture et dévore tous les livres qu'il peut trouver.

1889   Fait des petits métiers pour aider sa famille à vivre, en même temps qu'il va à l'école. Il reçoit, à 13 ans, son diplôme d'études primaires à l'école d'Oakland.

1889-1892   Après avoir travaillé dans une conserverie, âgé de moins de 15 ans, emprunte de l'argent pour s'acheter un bateau. Il pille les bancs d'huîtres de la baie de San Francisco et se fait une réputation de chef de bande et de grand buveur... pour être finalement engagé comme patrouilleur par la police côtière !

1893   S'embarque comme matelot sur le *Sophie Sutherland* vers la Corée, le Japon et la Sibérie. De retour à Oakland après sept mois en mer, il trouve sa famille dans la misère (conséquence de la crise de 1893 qui fit 3 millions de chômeurs) et doit prendre un emploi pénible dans une usine de jute.

    12 novembre : Gagne le 1er prix d'un concours organisé par le *San Francisco Call* avec un article intitulé « Histoire d'un typhon au large des côtes japonaises ».

1894   Après avoir travaillé en usine, entreprend de rejoindre « l'armée ouvrière de Kelly » qui part de San Francisco pour aller manifester à Washington son soutien d'une proposition de loi préconisant un programme de construction de routes pour lutter contre le chômage. Jack London, alors âgé de 18 ans, quitte bientôt cette « armée » et mène une vie de vagabond (*hobo*). Il va à Chicago et à New York, voyageant clandestinement dans les trains et mendiant pour vivre. Il fait un mois de prison pour vagabondage.

1895   A 19 ans, entre à l'école secondaire d'Oakland et devient membre de la section locale du Socialist Labor Party. Publie des articles dans la revue littéraire de son école, dont son premier essai socialiste, « Optimisme, pessimisme et patriotisme », où il accuse la bourgeoisie d'empêcher l'éducation des masses par crainte d'une révolte.

1896   Réussit l'examen d'entrée de l'université de Californie. N'y reste qu'un peu plus d'un semestre car il doit faire vivre sa famille, son père adoptif étant trop malade.

1897   25 juillet : Part pour l'Alaska à la suite de la découverte d'or au Klondike.

1898-1899   Retour à Oakland après une attaque de scorbut. Écrit et parvient à faire publier certaines de ses nouvelles : *To the Man on the Trail, The White Silence, An Odyssey of the North...*, dans diverses revues. Milite au sein du Parti Socialiste.

1900   Épouse Bessie Maddern. Publication du recueil de nouvelles *The Son of the Wolf*.

1901   15 janvier : Naissance de sa fille Joan.

1902   Débarque en Angleterre en route vers l'Afrique du Sud où il doit faire un reportage sur les suites de la guerre des Boers pour l'American Press Association. Le contrat est annulé et Jack London enquête sur les « slums » (*taudis*) de Londres.
Cette même année, publication du *Bâtard*. Naissance d'une deuxième fille.

1903   *The People of the Abyss* (Le peuple de l'abîme), description des taudis et de la misère ouvrière à Londres. *The Call of the Wild* (L'appel de la forêt) lui procure succès et argent.
Publication cette même année de « *The Class Struggle* » où il entreprend de détruire ce qui est pour lui le mythe du capitalisme américain, à savoir l'absence de lutte des classes.
Il tombe amoureux de Charmian Kittredge, qu'il épousera plus tard, abandonnant sa femme et ses deux filles.

1904   *The Sea Wolf* (Le loup des mers), dont le héros est le capitaine Wolf Larsen, illustre l'intérêt de l'auteur pour les individualités fortes et hors du commun, ce qui pour certains critiques est en contradiction avec ses professions de foi socialistes et son éloge de la fraternité révolutionnaire.

1905-1907	Très actif au sein du Parti socialiste (conférences, campagnes pour obtenir des fonds...). *White Fang* (Croc-Blanc) (1906) ; *The Iron Heel* (Le talon de fer) (1907), œuvre socialiste.
1907	Le 23 avril, part avec sa femme sur son bateau le *Snark* pour ce qui aurait dû être un voyage de sept ans autour du monde. Travaille à bord à son nouveau livre largement autobiographique *Martin Eden*. Visite les mers du Sud pendant vingt-cinq mois (Hawaii, les Marquises, Tahiti...). Malade, il est hospitalisé à Sydney.
1909	Juillet : Retour à San Francisco. Au cours de son voyage il a écrit : *The Cruise of the Snark*, *South Sea Tales* et *Adventure* ainsi que *Martin Eden* qui sera publié en 1909 et où certains critiques n'ont voulu voir que l'exaltation nietzschéenne de l'individu alors que London a toujours affirmé qu'il y décrivait l'échec de l'égoïste, inconscient des besoins de l'humanité dans son ensemble. « Martin Eden failed and died (...) because of his lack of faith in man (...) He got only as far as himself, and the rest of humanity did not count. » (*Martin Eden a échoué et est mort du fait de son manque de foi dans l'homme. Il était incapable d'aller au-delà de lui-même, et le reste de l'humanité ne comptait pas.*)
1910	S'installe sur son ranch, près de Glen Ellen, en Californie, pour écrire.
1913	18 août : « The Wolf House », la splendide demeure qu'il a fait construire, est terminée... Elle brûle dans la nuit.
1914	Couvre la guerre du Mexique pour l'hebdomadaire *Collier's*. Revient malade.
1916	Démissionne du Parti socialiste qu'il accuse de mollesse et de compromission mais ne trouve pas d'alliés dans une gauche qui lui reproche sa justification de l'intervention U.S. au Mexique et son attitude favorable à l'intervention dans la guerre de 1914-1918, où cette gauche ne voyait que des rivalités impérialistes. 22 novembre : Meurt à quarante ans d'une overdose de morphine. Le romancier Upton Sinclair dira plus tard que plusieurs des intimes de London savaient qu'il s'était suicidé. En seize ans, Jack London avait écrit dix-neuf romans, dix-huit recueils de nouvelles, plus de cent cinquante articles, trois pièces et huit ouvrages autobiographiques ou sociologiques.

The Law of Life

La loi de la vie

Old [1] Koskoosh listened greedily [2]. Though his sight had long since [3] faded, his hearing was still acute, and the slightest sound penetrated to the glimmering [4] intelligence which yet abode [5] behind the withered [6] forehead, but which no longer gazed forth upon the things of the world. Ah! That was Sitcum-to-ha, shrilly anathematizing the dogs as she cuffed and beat [7] them into the harnesses. Sit-cum-to-ha was his daughter's daughter, but she was too busy to waste [8] a thought upon her broken grandfather, sitting alone there in the snow, forlorn [9] and helpless. Camp must be broken. The long trail waited while the short day refused to linger. Life called her, and the duties of life, not death. And he was very close [10] to death now.

The thought made the old man panicky for the moment, and he stretched forth a palsied [11] hand which wandered [12] tremblingly over the small heap of dry wood beside him. Reassured that it was indeed there, his hand returned to the shelter of his mangy [13] furs, and he again fell to listening. The sulky [14] crackling of half-frozen hides told him that the chief's moose-skin lodge had been struck, and even then was being rammed and jammed [15] into portable compass [16]. The chief was his son, stalwart [17] and strong, headman of the tribesmen, and a mighty hunter. As the women toiled [18] with the camp luggage, his voice rose, chiding them for their slowness. Old Koskoosh strained his ears. It was the last time he would hear that voice. There went Geehow's lodge! And Tusken's! Seven, eight, nine; only the shaman's could [19] be still standing.

---

1. **old Koskoosh** : notez l'absence d'article. Cf. **Young John**, *le jeune John*.
2. **greedily** : adv. formé sur l'adj. **greedy**, *avide, cupide, gourmand, vorace, goulu*.
3. **long since** : littéraire pour **long ago**.
4. **to glimmer** : *jeter une faible lueur, briller faiblement, miroiter.*
5. **abode** : de **to abide, abode, abode** (ou régulier **abided, abided**), *rester, demeurer, habiter.* Traduit ici par *veiller* pour tenir compte de **glimmering**.
6. **to wither** : *(se) dessécher, (se) faner, (se) flétrir.*
7. **cuffed and beat** : **to cuff**, *donner une gifle, frapper de la main.*. △ **to beat, I beat, beat** : *battre.*
8. **to waste** : *gâcher, gaspiller.*
9. **forlorn** : *désolé, solitaire, morne, pitoyable.*
10. **close** : △ pron. [kləʊs], **s** et non z.

12

Le vieux Koskoosh écoutait intensément. Ses yeux s'étaient depuis longtemps éteints, mais son ouïe était toujours fine, et le moindre bruit parvenait jusqu'à l'intelligence qui veillait encore derrière le front ridé, sans pouvoir observer le spectacle du monde. Ah ! c'était là voix aigre de Sit-cum-to-ha, maudissant ses chiens en leur distribuant des coups pour leur passer le harnais. Sit-cum-to-ha était la fille de sa fille, mais elle avait trop à faire pour se préoccuper du vieil homme brisé, assis à l'écart dans la neige, abandonné et impuissant. Il fallait lever le camp. La longue piste attendait tandis que la brève clarté du jour refusait de s'attarder. C'était la vie, avec ses tâches nécessaires, qui réclamait la jeune Indienne. Et lui était maintenant bien proche de la mort.

A cette pensée la panique envahit soudain le vieillard, qui étendit une main tremblante pour toucher à tâtons le petit tas de bois sec, placé près de lui. Assuré qu'il était bien là, il enfouit à nouveau sa main dans ses fourrures miteuses, et se remit à écouter. Le craquement maussade des peaux d'élans durcies par le gel lui dit qu'on avait abattu la tente du chef et qu'on était en train de la tasser et de la comprimer pour la réduire à un volume transportable. Le chef était son fils, athlétique et robuste, le guide de la tribu, et un fameux chasseur. Sa voix s'éleva pour reprocher leur lenteur aux femmes qui s'échinaient à faire les ballots. Le vieux Koskoosh tendit l'oreille. C'était la dernière fois qu'il entendrait cette voix. Voilà qu'on abattait la tente de Geehow ! Et celle de Tusken ! Sept, huit, neuf, seule celle du sorcier devait encore être debout.

---

11. **palsied** : de **palsy**, *paralysie*. Cf. **shaking palsy**, *paralysie tremblante*.
12. **to wander** : 1) *errer, se promener* ; 2) *divaguer*.
13. **mangy** ['meindʒi] : *galeux*. De **the mange**, *la gale*. Prend souvent le sens de *miteux, minable*.
14. **sulky** : *boudeur, maussade*. **To sulk**, *bouder*.
15. **rammed and jammed** : to ram 1) *bourrer, tasser, remplir* ; 2) *éperonner, heurter* ; **to jam,** 1) *presser, serrer, comprimer* ; 2) *bloquer, coincer, enrayer*.
16. **compass** : 1) *limite, étendue, portée, bornes*. Cf. **to encompass**, *englober, embrasser* ; 2) *boussole*.
17. **stalwart** : *vigoureux, robuste, vaillant, résolu*.
18. **to toil** : *peiner, travailler, faire un labeur pénible*.
19. m. à m. *pouvait*.

There! They were at work upon it now. He could hear [1] the shaman grunt as he piled it on the sled. A child whimpered [2], and a woman soothed it [3] with soft, crooning [4] gutturals. Little Koo-tee, the old man thought, a fretful [5] child, and not overstrong. It would die soon, perhaps, and they would burn a hole through the frozen tundra and pile rocks above to keep the wolverines [6] away. Well, what did it matter? A few years at best, and as many [7] an empty belly as a full one. And in the end, Death waited, everhungry and hungriest of them all.

What was that? Oh, the men lashing the sleds and drawing tight the thongs [8]. He listened, who [9] would listen no more. The whiplashes snarled [10] and bit [11] among the dogs. Hear [12] them whine! How they hated the work and the trail! They were off! Sled after sled churned [13] slowly away into the silence. They were gone. They had passed out of his life, and he faced the last bitter hour [14] alone. No. The snow crunched beneath a moccasin; a man stood beside him; upon his head a hand rested gently. His son was good to do this thing. He remembered other old men whose sons [15] had not waited after the tribe. But his son had [16]. He wandered away into the past, till the young man's voice brought him back.

"It is well [17] with you?" he asked.

And the old man answered, "It is well".

"There be wood beside you", the younger man continued, "and the fire burns bright. The morning is gray, and the cold has broken. It will snow presently [18]. Even now it is snowing."

---

1. **he could hear : can** devant verbe de perception.
2. **to whimper :** geindre, gémir, pleurnicher. S'emploie beaucoup pour un bébé, ou un chien apeuré.
3. **it :** △ **baby** et **child** sont normalement considérés comme neutres, n'ayant pas de comportement sexué.
4. **to croon :** chanter à mi-voix, d'une voix douce, fredonner. D'où le **crooner,** chanteur de charme.
5. **fretful :** agité, tourmenté, irrité, maussade. Cf. **to fret,** se tourmenter, s'inquiéter, se faire du souci.
6. **wolverine** ['wulvəri:n] **:** glouton (mammifère carnassier voisin de la martre).
7. **as many :** sous-entendu **years** (on aurait autrement **as often,** aussi souvent).
8. **thong :** lanière de cuir, courroie.
9. **who :** reprend l'antécédent **he ;** tournure littéraire.

Ah ! voilà qu'ils s'y attaquaient ! Il entendit les grognements du sorcier qui l'empilait sur le traîneau. Un enfant pleurnicha, qu'une femme calma en chantonnant d'une voix douce aux sonorités gutturales. Le petit Koo-tee, pensa le vieil homme, un enfant agité, pas trop robuste. Il ne survivrait pas longtemps, peut-être, et ils construiraient un feu pour pouvoir creuser un trou dans la toundra gelée ; puis ils entasseraient des pierres pour le protéger des carnassiers. Quelle différence ? Quelques années, au mieux, dont autant à vivre l'estomac vide que le ventre plein. Et à la fin, la Mort qui attendait, toujours prête à dévorer, plus affamée qu'eux tous.

Que se passait-il ? On attelait les traîneaux, on tendait les courroies. Il écoutait, lui qui n'écouterait plus. Les mèches de fouet sifflaient en cinglant les chiens. Il les entendait gémir. Comme ils détestaient le travail et la piste ! C'était le départ ! L'un après l'autre les traîneaux s'éloignaient lentement, leur crissement faisant place au silence. Ils étaient partis. Ils étaient sortis de sa vie, le laissant seul pour affronter l'ultime épreuve. Non. La neige craqua sous un mocassin. Un homme se dressa près de lui ; une main se posa avec douceur sur sa tête. C'était bien de la part de son fils d'agir ainsi. Il se souvint d'autres vieillards dont le fils ne s'était pas attardé après le départ de la tribu. Mais son fils était là. Son esprit vagabonda dans le passé jusqu'à ce que la voix du jeune chef le rappelât à la réalité.

« Cela est bien ainsi ? » demanda la voix.

Et le vieil homme répondit : « Cela est bien. »

« Il y a du bois à côté de vous ! continua le plus jeune, et le feu brûle vivement. Le matin est gris, et le froid a diminué. Il va bientôt neiger. Voici qu'il neige déjà. »

---

10. **to snarl** : *grogner, gronder, parler d'un ton hargneux.*

11. **bit** : de **to bite, I bit, bitten**, *mordre.*

12. m. à m. *écoutez-les gémir.* **To hear** + inf. sans to.

13. **to churn** : *brasser, agiter, battre en tournant.*

14. m. à m. *la dernière heure amère.*

15. **whose sons** : le pluriel **sons** est normal ici en anglais (autant de fils que de pères).

16. **had** : sous-entendu **waited**.

17. **it is well with you** : cette formule à la fois gauche et archaïque est destinée à donner une impression de dignité, de pudeur et de simplicité. De même le **there be wood** qui suit (au lieu de **there is wood**).

18. **presently** : *bientôt*. En américain d'aujourd'hui est synonyme de **currently**, *actuellement*.

"Aye [1], even now is it snowing."

"The tribesmen hurry [2]. Their bales are heavy and their bellies flat with lack of feasting. The trail is long and they travel fast. I go now [3]. It is well?"

"It is well. I am as a last year's leaf, clinging lightly to the stem. The first breath that blows, and I fall. My voice is become [4] like an old woman's. My eyes no longer show me the way of my feet, and my feet are heavy, and I am tired. It is well."

He bowed [5] his head in content [6] till the last noise of the complaining snow had died away, and he knew his son was beyond recall. Then his hand crept [7] out in haste to the wood. It alone stood between him and the eternity that yawned [8] in upon him. At last the measure of his life was a handful [9] of faggots. One by one they would go to feed the fire, and just so, step by step, death would creep upon him. When the last stick had surrendered up its heat, the frost [10] would begin to gather strength. First his feet would yield [11], then his hands; and the numbness [12] would travel, slowly, from the extremities to the body. His head would fall forward upon his knees, and he would rest. It was easy. All men must die.

He did not complain. It was the way of life, and it was just. He had been born close to the earth, close to the earth had he lived, and the law thereof [13] was not new to him. It was the law of all flesh [14]. Nature was not kindly [15] to the flesh. She had no concern for that concrete thing called the individual .

---

1. **aye :** *oui* (archaïque). Encore utilisé pour dire *oui* lors d'un vote. **The ayes have it,** *les oui l'emportent*.

2. **the tribesmen hurry,** etc. : suite de phrases simples, au présent pour donner l'impression d'une langue fruste et en quelque sorte intemporelle.

3. **I go now :** I'm going now.

4. **is become :** archaïque pour **has become**.

5. **to bow** [bau] : *s'incliner, baisser la tête, saluer, faire la révérence*. **A bow** [au]; *un salut, une inclinaison de tête, une révérence*. Prononciation différente pour **bow** [bəʊ], *arc, archet*.

6. **content :** *satisfaction, contentement*.

7. **to creep, crept, crept :** *ramper*. Indique ici un mouvement malhabile.

8. **to yawn :** 1) *béer, être béant* ; 2) *bâiller*.

9. **handful :** m. à m. *poignée. Brassée :* **armful**.

« En vérité voici qu'il neige. »

« Les hommes se hâtent. Leurs ballots sont lourds et leurs ventres plats de n'avoir pas festoyé. La piste est longue et ils voyagent vite. Je pars maintenant. Cela est bien ainsi ? »

« Cela est bien. Je suis comme la feuille de l'année dernière, faiblement accrochée à la tige, prête à tomber au premier souffle. Ma voix est devenue semblable à celle d'une vieille femme. Mes yeux ne peuvent plus guider mes pas, mes jambes sont lourdes et je suis fatigué. C'est bien ainsi. »

Il courba la tête en signe d'acceptation jusqu'à ce que le dernier gémissement de la neige se soit éteint et il sut que son fils était hors de portée. Sa main tâtonna fébrilement vers le tas de bois qui seul le séparait de l'éternité qui le guettait, béante. La mesure de sa vie n'était plus qu'une brassée de fagots. Un à un ils iraient nourrir le feu et c'est ainsi, pas à pas, que la mort s'approcherait de lui. Quand la dernière brindille aurait livré sa chaleur, le froid commencerait à mordre. Il saisirait ses pieds, puis ses mains, et l'engourdissement gagnerait lentement le reste de son corps. Sa tête s'inclinerait sur ses genoux, et il connaîtrait le repos. C'était facile. Tous les hommes doivent mourir.

Il ne se plaignait pas. La vie était ainsi faite, et cela était juste. Il était né au contact de la terre, il avait vécu au contact de la terre et sa loi n'était pas nouvelle pour lui. C'était la loi de toute chair. La nature n'avait pas de bienveillance envers la chair. Elle ne se souciait pas de cette chose concrète appelée individu.

---

10. **frost** : *gel ; gelée.*
11. **to yield** : 1) *céder ;* 2) *rapporter, produire.* **The yield,** *le rendement.*
12. **numbness** ['nʌmnis] : *formé sur l'adj.* **numb** [nʌm], *engourdi, gourd.* △ *le* **b** *n'est pas prononcé.*
13. **thereof** : *archaïque ou littéraire pour de cela, de celui-ci, de celle-ci, de ceux-ci, etc. Cf.* **whereof,** *duquel, de quoi, dont.*
14. **the law of all flesh** : *cf. la formule biblique* **to go the way of all flesh,** *mourir, connaître le sort de toute créature de chair.*
15. **kindly** : *il ne s'agit pas ici de l'adverbe qui signifie* avec gentillesse, obligeance *mais de l'adjectif* **kindly,** *bienveillant, bienfaisant, favorable.*

Her[1] interest lay in the species, the race. This was the deepest abstraction old Koskoosh's barbaric mind was capable of, but he grasped it firmly. He saw it exemplified[2] in all life. The rise of the sap, the bursting greenness[3] of the willow bud, the fall of the yellow leaf – in this alone was told the whole history. But one task did[4] Nature set the individual. Did he not[5] perform it, he died. Did he perform it, it was all the same, he died. Nature did not care; there were plenty who were obedient, and it was only the obedience in this matter, not the obedient[6], which lived and lived always. The tribe of Koskoosh was very old. The old men he had known when a boy had known old men before them. Therefore it was true that the tribe lived, that it stood for[7] the obedience of all its members, way down[8] into the forgotten past, whose very resting places were unremembered. They did not count; they were episodes. They had passed away like clouds from a summer sky. He also was an episode and would pass away. Nature did not care. To life she set one[9] task, gave one law. To perpetuate was the task of life, its law was death. A maiden[10] was a good creature to look upon, full-breasted[11] and strong, with spring[12] to her step and light in her eyes. But her task was yet before her. The light in her eyes brightened, her step quickened, she was now bold[13] with the young men, now timid, and she gave them of her own unrest[14].

---

1. **her interest :** féminin car la nature est ici personnifiée. Cf. **She had no concern**, phrase précédente.
2. **to exemplify :** *donner un exemple, démontrer par un exemple. Donner l'exemple* (à imiter) : **to set an example**.
3. **bursting greenness : to burst, burst, burst**, *éclater, exploser.* **Greenness :** nom formé par adj. + **ness**. Cf. **dark, darkness, open, openness,** etc.
4. **one task did nature set :** triple renforcement par utilisation de **to do** (forme d'insistance), inversion (**did nature**), emploi de **one** (une en particulier).
5. **did he not perform :** if he did not.
6. **the obedient :** collectif formé sur l'adjectif. Cf. **the blind,** *les aveugles,* **the rich,** *les riches.*
7. **to stand for something :** *représenter, signifier.*
8. **way down : way** (au sens de **a long way** ou **away**) est très uti-

Elle s'intéressait à l'espèce, à la race. C'était la notion la plus abstraite que pouvait concevoir l'intelligence primitive du vieux Koskoosh, mais il la saisissait pleinement. Il en voyait la manifestation dans toute forme de vie. La montée de la sève, le vert éclatant du bourgeon de saule, la chute de la feuille jaunie suffisaient à conter toute l'histoire. Mais il était une tâche que la nature assignait à l'individu. Qu'il ne l'accomplisse pas, et il mourrait. Qu'il l'accomplisse, et il mourrait aussi. La nature ne s'en souciait pas. Ils étaient nombreux à obéir et dans ce domaine c'était l'obéissance, et non ceux qui obéissaient, qui était vivante et vivrait toujours. La tribu de Koskoosh était très ancienne. Les vieillards qu'il avait connus dans son enfance avaient eux aussi connu des vieillards. Ainsi il était vrai que la tribu vivait, qu'elle illustrait l'obéissance de tous ses membres depuis ceux, au plus profond du passé obscur, dont les lieux même de sépulture étaient oubliés. Ils ne comptaient pas. Ils ne faisaient que passer, comme des nuages qui se dissipent dans un ciel d'été. Lui-même n'était qu'une péripétie, il passerait aussi. La nature ne s'en souciait pas. Elle assignait une tâche unique à la vie, lui imposait une seule loi. La tâche était de perpétuer l'espèce, la loi celle de la mort. Une jeune fille était une créature agréable à l'œil, avec son corps robuste et sa poitrine pleine, sa démarche légère et son regard lumineux. Mais sa tâche était encore devant elle. Son regard devenait plus ardent, son pas s'accélérait ; tantôt audacieuse avec les jeunes hommes, tantôt timide avec eux, elle leur communiquait sa propre fièvre.

---

lisé en langue courante dans les expressions comme **way ahead,** *loin devant, très en avance,* **way back,** *il y a très longtemps,* **way up north,** *loin au nord.*
9. **one task, one law :** insiste sur l'unicité beaucoup plus que ne le ferait l'indéfini **a.**
10. **maiden :** *vierge, jeune fille.* **Maiden aunt,** *tante non mariée.* **Maiden voyage,** *voyage inaugural* (bateau, avion, etc.). **Maiden speech,** *premier discours* d'un nouvel élu au Parlement.
11. **full-breasted :** adj. + nom + **ed.** Cf. **broad shouldered,** *aux larges épaules,* etc.
12. **spring :** 1) *ressort, élasticité ;* 2) *saut, bond ;* 3) *source.*
13. **bold :** 1) *audacieux, téméraire ;* 2) *effronté.*
14. m. à m. *quelque chose de sa propre agitation.* **Unrest :** *inquiétude, malaise, trouble, agitation.*

And ever she grew fairer and yet fairer to look upon, till some hunter, able no longer to withhold [1] himself, took her to his lodge to cook and toil for him and to become the mother of his children. And with the coming of her off-spring [2] her looks left her. Her limbs [3] dragged [4] and shuffled [5], her eyes dimmed [6] and bleared [7], and only the little children found joy against the withered cheek [8] of the old squaw by the fire. Her task was done. But a little while [9], on the first pinch [10] of famine or the first long trail, and she would be left, even as he had been left, in the snow, with a little pile of wood. Such was the law.

He placed a stick carefully upon the fire and resumed his meditations. It was the same everywhere, with all things. The mosquitoes vanished with the first frost. The little tree squirrel [11] crawled away to die. When age settled [12] upon the rabbit it became slow and heavy and could no longer outfoot [13] its enemies. Even the big bald-face [14] grew clumsy and blind and quarrelsome, in the end to be dragged down by a handful of yelping [15] huskies. He remembered how he had abandoned his own father on an upper reach [16] of the Klondike one winter, the winter before the missionary came with his talk books and his box of medicines. Many a time had Koskoosh smacked his lips [17] over the recollection of that box, though now his mouth refused to moisten [18]. The "painkiller [19]" had been especially good. But the missionary was a bother [20] after all, for he brought no meat into the camp, and he ate heartily [21], and the hunters grumbled.

---

1. **to withhold** : *retenir, retirer.*
2. **offspring** : *descendance, enfants, progéniture.*
3. **limb** : △ la prononciation [lim]. Le **b** n'est pas prononcé. C'est un cas fréquent dans le groupe **mb** : to climb, *grimper,* **lamb,** *agneau,* **bomb,** *bombe,* etc.
4. **to drag** : *traîner, languir, s'éterniser.*
5. **to shuffle** : *traîner* (les pieds) ; *brasser, frotter l'un contre l'autre, battre* (les cartes).
6. **to dim** : *(s') obscurcir, (s') affaiblir, (s') atténuer.*
7. **to blear** : *embrumer, estomper.*
8. m. à m. *trouvaient de la joie contre la joue desséchée.*
9. **but a little while** : construction sans verbe, dont le sens est there would be but a little while. **While** : *période de temps,* **but** au sens de *seulement ;* cf. **nobody but you,** *personne d'autre que vous.*

Et elle devenait de plus en plus séduisante jusqu'à ce qu'un chasseur, incapable de résister plus longtemps, l'emmenât dans sa tente pour qu'elle cuisine et travaille pour lui et devienne la mère de ses enfants. Et avec les maternités sa beauté la quittait. Ses membres s'alourdissaient, sa démarche devenait traînante, ses yeux perdaient leur éclat, son regard s'embuait, et seuls les petits enfants aimaient à se blottir contre la joue flétrie de la vieille squaw, près du feu. Elle avait rempli sa tâche. Le temps n'était plus loin, aux premières atteintes de la famine, ou à la première transhumance, où on l'abandonnerait, comme on l'avait lui-même abandonné, au milieu de la neige, près d'une petite pile de bois. Telle était la loi.

Il mit avec précaution une branchette sur le foyer et reprit sa méditation. La même loi régnait partout, sur toutes choses. Les moustiques disparaissaient avec les premières gelées. L'écureuil agile se traînait pour aller mourir. Le lapin avec l'âge devenait lent et lourd et ne pouvait plus distancer ses ennemis. Même le grand élan à face chauve devenait malhabile, aveugle et irascible, pour être finalement terrassé par quelques chiens braillards. Il se souvenait comment il avait abandonné son propre père dans le nord du Klondike un hiver, celui qui avait précédé l'arrivée du missionnaire avec ses livres de paroles et sa boîte à médecine. Koskoosh avait souvent salivé au souvenir de la boîte mais maintenant sa bouche restait obstinément sèche. L'« antidouleur » en particulier était excellent mais le missionnaire était finalement une gêne car il n'apportait pas de viande au camp et mangeait de fort bon appétit ; les chasseurs s'en plaignaient.

---

10. **pinch :** 1) *action de pincer ;* 2) *ce qui cause une restriction, une morsure, une atteinte,* etc.
11. m. à m. *le petit écureuil des arbres.*
12. **to settle :** *s'installer, s'établir.*
13. **outfoot : out** *indique ici le fait de dépasser.* Cf. **to outnumber, to outplay, to outlast, to outdo...**
14. **baldface :** *à la face chauve* (sans poils).
15. **to yelp :** *japper, glapir.*
16. **reach :** *cours* d'un fleuve entre deux coudes. Aussi, *bief* de canal (entre 2 écluses).
17. **to smack one's lips :** *faire claquer ses lèvres.*
18. **to moisten** ['moisən] : *humecter, mouiller.*
19. **painkiller :** *tueur de douleur.* Du whisky.
20. **a bother :** *un tracas, un ennui, un embêtement.*
21. **heartily :** *de bon cœur.* Δ pron. [ha:rt].

But he chilled [1] his lungs on the divide [2] by the Mayo, and the dogs afterward nosed the stones away [3] and fought over his bones.

Koskoosh placed another stick on the fire and harked [4] back deeper into the past. There was the time of the great famine [5], when the old men crouched [6] empty-bellied to the fire, and let fall from their lips [7] dim traditions of the ancient day [8] when the Yukon ran wide open for three winters, and then lay frozen for three summers. He had lost his mother in that famine. In the summer the salmon run [9] had failed, and the tribe looked forward to the winter and the coming of the caribou. Then the winter came, but with it there were no caribou. Never had the like [10] been known, not even in the lives of the old men. But the caribou did not come, and it was the seventh year, and the rabbits had not replenished [11], and the dogs were naught [12] but bundles [13] of bones. And through the long darkness the children wailed and died, and the women, and the old men; and not one in ten of the tribe lived to meet the sun when it came back in the spring. That was a famine!

But he had seen times of plenty, too, when the meat spoiled on their hands [14], and the dogs were fat and worthless with overeating – times when they let the game go unkilled, and the women were fertile, and the lodges were cluttered [15] with sprawling [16] men-children and women-children.

---

1. **to chill** : refroidir, glacer, geler ; faire frissonner.
2. **divide** : ligne de partage des eaux (aussi **watershed**).
3. **nosed the stones away** : la postposition **away** indique l'action principale (écarter). Le verbe indique la manière (avec le museau, le nez).
4. **to hark** : archaïque ou littéraire, écouter, prêter l'oreille.
5. **famine** : △ pron. ['fæmin]. Mourir de faim : to starve to death, to die of starvation.
6. **to crouch** : s'accroupir, se blottir, se tapir ; se préparer à bondir.
7. m. à m. laissaient tomber de leurs lèvres. **To let** + inf. sans to.
8. **ancient day** : **day** est employé ici avec un sens collectif. △ à la traduction du français ancien au sens de précédent, antérieur : **former**.

Mais en franchissant les crêtes au-dessus de la rivière Mayo ses poumons n'avaient pas résisté au froid ; ensuite les chiens avaient écarté les pierres pour se disputer ses os.

Koskoosh mit un autre morceau de bois sur le foyer et remonta plus loin dans ses souvenirs. Il revivait l'époque de la grande famine quand les vieillards au ventre vide se serraient autour du feu, en évoquant gravement d'obscures traditions des temps anciens où le Yukon avait coulé librement pendant trois hivers, avant d'être pris par les glaces trois étés de suite. Sa mère était morte pendant cette famine. L'été, les saumons n'avaient pas remonté les rivières, et la tribu avait impatiemment attendu l'hiver et le retour des caribous. L'hiver arriva sans ramener les caribous. Même les vieillards n'avaient jamais vu cela. Mais les caribous ne revenaient pas... Sept ans que cela durait, les lapins étaient toujours aussi maigres, et les chiens n'avaient plus que la peau sur les os. Et dans la longue nuit de l'hiver les enfants gémirent et moururent, et aussi les femmes et les vieillards. Quand le soleil revint, au printemps, moins d'un sur dix des membres de la tribu avait survécu. Une sacrée famine !

Mais il avait aussi connu des périodes d'abondance où on laissait se gâter la viande, où les chiens gavés n'étaient plus bons à rien, des périodes où on ne chassait même plus le gibier, où les femmes étaient fertiles et où les tentes grouillaient de bébés-hommes et de bébés-femmes.

---

9. **salmon run :** △ pron. ['sæmən]. **Run** : *course*. S'emploie spécifiquement pour la *remonte des saumons*.
10. **never had the like :** inversion emphatique.
11. **to replenish :** *(se) remplir* ; *(se) réapprovisionner*.
12. **naught :** littéraire pour **nothing** signifie *rien, néant, zéro.* **To come to naught,** *échouer totalement, n'aboutir à rien.*
13. **bundle :** *ballot, paquet, tas,* aussi *liasse* (de billets, etc.).
14. **spoiled on their hands : to spoil,** 1) *se gâter, s'avarier* ; 2) *gâter, gâcher.* **On their hands,** m. à m. *dans leurs mains,* c'est-à-dire *sans qu'ils puissent rien en faire* (cf. fr. avoir quelque chose sur les bras).
15. **to clutter :** *encombrer.*
16. **to sprawl :** 1) *s'étendre, s'étaler* ; 2) (ici) *se traîner à plat ventre, ramper.*

Then it was the men became high-stomached[1], and revived ancient[2] quarrels, and crossed the divides to the south to kill the Pellys[3], and to the west that they might sit by the dead fires of the Tananas[4]. He remembered, when a boy, during a time of plenty, when he saw a moose[5] pulled down by the wolves[6]. Zing-ha lay with him in the snow and watched – Zing-ha, who later became the craftiest[7] of hunters, and who, in the end, fell through an air hole on the Yukon. They found him, a month afterward, just as he had crawled halfway out and frozen stiff[8] to the ice.

But the moose. Zing-ha and he had gone out that day to play at hunting after the manner of their fathers. On the bed of the creek[9] they struck the fresh track of a moose, and with it the tracks of many wolves. "An old one", Zing-ha, who was quicker at reading the sign, said, "an old one who cannot keep up with the herd. The wolves have cut him out from his brothers, and they will never leave him." And it was so. It was their way. By day and by night, never resting, snarling on his heels, snapping[10] at his nose, they would stay by him to the end. How Zing-ha and he felt the blood lust[11] quicken! The finish would be a sight to see[12]!

Eager-footed[13], they took the trail, and even he, Koskoosh, slow of sight[14] and an unversed[15] tracker, could have followed it blind, it was so wide. Hot were they[16] on the heels of the chase[17], reading the grim[18] tragedy, fresh-written, at every step.

---

1. **high-stomached** : suivant l'idée que les organes sont le siège de certaines vertus, **stomach**, au sens ancien, signifiait *fierté, arrogance, colère, courage*.
2. **ancient** : *antique*, dont l'origine se perd dans la nuit des temps. Ancient Greece : *la Grèce antique*. En anglais moderne, *ancien* sera plus souvent traduit par **old** (ou, au sens de précédent, *former*).
3. **Pellys** : tribu indienne.
4. **Tananas** : tribu d'Indiens Athapaskan vivant en Alaska dans les vallées du Tanana et du Yukon, près de leur confluent.
5. **moose** : Δ pron. [mu:s].
6. **wolves** : [wulvz], sing. **wolf** [wulf].
7. **crafty** : de **craft**, 1) *métier manuel, d'artisanat* ; 2) *ruse, fourberie*.
8. **stiff** : *raide, rigide*.

C'est alors que les hommes devenaient arrogants et que, réveillant d'anciennes querelles, ils franchissaient les crêtes vers le sud pour aller tuer les Pellys, et vers l'ouest pour s'asseoir autour des feux éteints des Tananas en fuite. Il se souvenait, dans son enfance, pendant une période d'abondance, d'avoir vu un élan terrassé par les loups. Zing-ha observait la scène avec lui, allongé sur la neige, Zing-ha qui deviendrait plus tard le plus rusé des chasseurs, pour finir en tombant dans un trou d'air sur le Yukon. Ils l'avaient retrouvé un mois plus tard, soudé à la glace dans la position même où elle l'avait saisi alors qu'il s'était à demi dégagé.

Et l'élan... Ce jour-là il avait joué avec Zing-ha à chasser à la manière de leurs pères. Dans le lit du torrent ils étaient tombés sur les traces fraîches d'un élan, accompagnées de nombreuses empreintes de loups. « Un vieux mâle », dit Zing-ha, plus prompt à lire les signes, « qui ne peut plus suivre le troupeau. Les loups l'ont séparé de ses frères, et ne le lâcheront plus. » C'était bien vrai. C'est ainsi qu'ils menaient leur chasse. Jour et nuit, sans répit, grondant sur ses talons, faisant claquer leurs crocs sous son mufle, ils le harcèleraient jusqu'à la fin. Zing-ha et lui-même sentirent monter la soif du sang. Le dénouement serait grandiose.

Ils se lancèrent d'un pied léger sur la piste ; Koskoosh, lui-même peu rompu à suivre les traces et lent à démêler les signes, aurait pu la suivre les yeux fermés, elle était si large... Ils se hâtaient pour rejoindre la chasse dont ils lisaient à chaque pas le déroulement inexorable fraîchement inscrit dans la neige.

---

9. **creek** : (U.S.) *petite rivière, petit cours d'eau, ruisseau.*
10. **to snap** : 1) *saisir, happer* ; 2) *faire claquer* ; 3) *rompre, briser* ; 4) *dire d'un ton cassant, brusque, bref.* Indique toujours une action brève.
11. **lust** : *appétit, convoitise, concupiscence, désir.*
12. **a sight to see** : m. à m. *un spectacle à voir.*
13. **eager-footed** : m. à m. *au pied impatient* ; **eager**, *ardent, passionné, avide.*
14. **slow of sight** : m. à m. *à la vue lente.*
15. **unversed** : cf. to be well-versed in something, *être familier avec, compétent en.*
16. **hot were they** : inversion littéraire.
17. **chase** : △ pron. [tʃeis].
18. **grim** : *sinistre, sévère, menaçant.*

Now they came to where the moose had made a stand [1]. Thrice [2] the length of a grown man's body, in every direction, had the snow [3] been stamped [4] about and uptossed [5]. In the midst were the deep impressions of the splay-hoofed [6] game, and all about, everywhere, were the lighter footmarks of the wolves. Some, while their brothers harried the kill [7], had lain [8] to one side and rested. The full-stretched impress of their bodies in the snow was as perfect as though made the moment before. One wolf had been caught in a wild lunge [9] of the maddened [10] victim and trampled to death. A few bones, well picked, bore witness [11].

Again, they ceased the uplift of their snowshoes [12] at a second stand. Here the great animal had fought desperately. Twice had he been dragged down, as the snow attested, and twice had he shaken his assailants clear and gained footing once more. He had done his task long since [13], but none the less was life dear to him. Zing-ha said it was a strange thing, a moose once down to get free again ; but this one certainly had. The shaman would see signs and wonders in this when they told him.

And yet again they came to where the moose had made to [14] mount the bank and gain the timber. But his foes had laid on from behind, till he reared and fell back upon them, crushing two deep into the snow. It was plain the kill was at hand, for their brothers had left them untouched. Two more stands were hurried past [15], brief in time length and very close together.

---

1. **to make a stand :** résister, tenir bon, s'arrêter dans sa fuite pour faire face.
2. **thrice :** en anglais courant **three times**.
3. **had the snow :** inversion littéraire.
4. **to stamp :** imprimer une marque, une empreinte, taper du pied, piétiner.
5. **uptossed :** verbe formé comme to **upturn** (retourner, renverser), sur to **toss**, agiter, secouer, lancer.
6. **splay-hoofed :** m. à m. aux sabots épatés, aux sabots plats tournés en dehors. Cf. **splay-foot**, pied plat tourné en dehors.
7. **the kill :** 1) mise à mort ; 2) (ici) proie, animal poursuivi.
8. **lain :** de to **lie, lay, lain,** être couché, être allongé, reposer.
9. **lunge :** mouvement brusque en avant ; (escrime) botte, coup droit.
10. **to madden :** formation traditionnelle d'un verbe par adjec-

Ils arrivèrent bientôt là où l'élan avait fait front. Dans toutes les directions, sur trois fois la longueur du corps d'un homme adulte, la neige avait été tassée et labourée. Au centre apparaissaient les empreintes profondes des larges sabots et partout alentour les traces plus légères laissées par les loups. Certains, pendant que leurs frères harcelaient leur proie, s'étaient couchés sur le flanc pour se reposer. La marque des corps allongés dans la neige était aussi parfaite que si elle avait été faite à l'instant. Un des loups, n'ayant pu éviter une charge désespérée de la victime affolée, avait été piétiné à mort. Quelques os, soigneusement rongés, en portaient témoignage.

Ils tombèrent à nouveau en arrêt là où le grand élan, à sa seconde volte-face, s'était battu désespérément. Deux fois il était tombé comme le révélait la neige, et deux fois il s'était libéré de ses assaillants pour se remettre debout. Depuis longtemps sa tâche était accomplie mais la vie ne lui en était pas moins chère. Zingha déclara qu'il était étrange qu'un élan, une fois à terre, ait pu repartir ; c'est pourtant ce qu'avait fait celui-ci. Le sorcier y verrait des signes et des prodiges quand ils le lui raconteraient.

Plus loin, ils virent l'endroit où l'élan avait tenté de franchir le talus pour gagner le couvert. Mais ses ennemis étaient revenus sur lui jusqu'à ce qu'il se cabrât et, retombant au milieu d'eux, écrasât deux de ses poursuivants au plus profond de la neige. Il était clair que la curée était proche car leurs frères ne les avaient pas dévorés. Deux fois encore l'élan avait fait front, brièvement et à peu d'intervalle. Les jeunes Indiens continuèrent sans s'arrêter.

---

tif + **en** (to blacken, to weaken, etc.) ; *rendre fou, exaspérer, rendre furieux, fou de rage.*
11. **to bear witness :** *porter témoignage.* **To bear, bore, △ borne**. Ne s'écrit sans **e** qu'au sens d'*être né.*
12. m. à m. *ils cessèrent le mouvement vers le haut de leurs chaussures de neige (= de leurs raquettes).* Cf. **to lift,** *lever, soulever.* △ pron. **to cease** [si:s].
13. **long since :** littéraire pour **long ago.**
14. **to make to** + v. : indique le début avorté d'une action, ou l'intention de commencer quelque chose.
15. voix passive correspondant à **they hurried past two more stands,** d'où la traduction par « *les jeunes Indiens... ».* **To hurry past :** *dépasser en se hâtant.*

The trail was red now, and the clean [1] stride [2] of the great beast had grown short and slovenly [3]. Then they heard the first sounds of the battle – not the full-throated chorus of the chase, but the short, snappy [4] bark which spoke of close quarters and teeth to flesh. Crawling up the wind [5], Zing-ha bellied [6] it through the snow, and with him crept he, Koskoosh [7], who was to be chief of the tribesmen in the years to come. Together they shoved [8] aside the underbranches of a young spruce and peered forth. It was the end they saw.

The picture, like all of youth's impressions [9], was still strong with him, and his dim eyes watched the end played out as vividly as in that far-off time. Koskoosh marveled at this, for in the days which followed, when he was a leader of men and a head of councilors [10], he had done great deeds and made his name a curse in the mouths [11] of the Pellys, to say naught of the strange white man he had killed, knife to knife, in open fight.

For long he pondered on the days of his youth, till the fire died down and the frost bit deeper. He replenished it with two sticks this time, and gauged [12] his grip on life by what remained. If Sit-cum-to-ha had only remembered her grandfather, and gathered a larger armful, his hours would have been longer. It would have been easy. But she was ever a careless child, and honored [13] not her ancestors [14] from the time the Beaver, son of the son of Zing-ha, first cast eyes upon her. Well, what mattered it [15]?

---

1. **clean** : *propre, pur, net, franc.*
2. **stride** : *grand pas, enjambée, foulée.* Verbe **to stride**, 1) *marcher à grand pas ;* 2) *enjamber.*
3. **slovenly** : *débraillé, négligé, peu soigné.*
4. **snappy** : *nerveux, rapide.* **Make it snappy,** (fam.) *dépêchez-vous .*
5. **up the wind** : *en remontant le vent pour ne pas être détectés par les loups.*
6. **to crawl, to belly, to creep** : *indiquent tous une reptation. Le second, d'un emploi plus rare, est formé sur* **belly,** *ventre, mot très familier. On lui préfère* **stomach. To crawl** *et* **to creep** *sont à peu près synonymes avec quelques emplois spécifiques :* **a snake** *(un serpent)* **crawls, ivy** *(le lierre)* **creeps on the walls. The feeling crept into me,** *le sentiment s'insinua en moi.*
7. **crept he, Koskoosh** : *c'est l'Indien lui-même qui raconte l'his-*

La piste était rougie, maintenant, et la foulée régulière du grand cervidé s'était raccourcie et désunie. Ils entendirent bientôt les premiers échos de la bataille. Non pas le hurlement à gorge déployée de la meute en chasse, mais les brefs aboiements rauques qui disaient le corps-à-corps et la morsure des crocs. Zing-ha, à plat ventre, se frayait un chemin dans la neige, contre le vent et avec lui rampait Koskoosh, qui deviendrait le chef de la tribu dans les années à venir. Ensemble ils écartèrent les branches basses d'un jeune sapin pour observer. C'est à la fin qu'ils assistèrent.

La scène, comme toutes les émotions fortes de la jeunesse, s'était imprimée en lui, et ses yeux obscurcis revoyaient le dénouement aussi distinctement qu'en ce jour lointain. Koskoosh s'en étonna, car entre-temps, quand il était un chef parmi les guerriers et un sage parmi les sages, il avait accompli de grands exploits et fait de son nom une malédiction dans la bouche des Pellys, sans parler du mystérieux homme blanc qu'il avait tué dans un duel loyal au couteau.

Il médita longuement sur le temps de sa jeunesse jusqu'à ce que la flamme faiblisse et que s'accentue la morsure du froid. Il remit deux morceaux de bois, cette fois, et mesura son temps de survie d'après ce qui restait de la pile. Si Sit-cum-to-ha s'était seulement souvenue de son grand-père, et avait ramassé une plus ample brassée, il aurait disposé de plus de temps. Ç'aurait été facile. Mais elle avait toujours été une enfant négligente, et n'honorait plus ses ancêtres depuis que le Castor, fils du fils de Zing-ha, avait posé les yeux sur elle. Ah, quelle importance ?

---

toire, d'où le **he**. L'inversion verbe sujet est justifiée par le **who** qui suit (**he who was**).

8. **to shove** [ʃʌv] : *pousser*.

9. **impressions** : au sens fort de ce qui s'imprime profondément.

10. **head of councilors** : m. à m. *chef des conseillers*, (G.B.) **councillor**.

11. **mouths** : ∆ au changement de pron. entre le sing. [mauθ] et le pl. [mauðz]. Et éviter de prononcer un **e** ou **i** intercalaire entre le **th** et le **s**.

12. **to gauge** : *jauger, estimer, apprécier*. ∆ pron. [geidʒ].

13. **honored** : (G.B.) honoured. Le **h** n'est pas prononcé.

14. **ancestors** : ∆ pron. ['ænsestərz].

15. en anglais courant : **what did it matter?**

Had he not done likewise in his own quick [1] youth? For a while he listened to the silence. Perhaps the heart of his son might soften, and he would come back with the dogs to take his old father on with the tribe to where the caribou ran thick [2] and the fat hung heavy upon them [3].

He strained his ears, his restless brain for the moment stilled [4]. Not a stir, nothing. He alone took breath in the midst of the great silence. It was very lonely. Hark [5]! What was that? A chill [6] passed over his body. The familiar, long-drawn howl broke the void [7], and it was close at hand. Then on his darkened eyes was projected the vision of the moose – the old bull [8] moose – the torn flanks and bloody sides, the riddled [9] mane, and the great branching horns, down low and tossing [10] to the last. He saw the flashing forms of gray, the gleaming eyes, the lolling [11] tongues, the slavered [12] fangs. And he saw the inexorable circle close in till it became a dark point in the midst of the stamped snow.

A cold muzzle thrust against his cheek, and at its touch his soul leaped back to the present [13]. His hand shot [14] into the fire and dragged out a burning faggot. Overcome for the nonce [15] by his hereditary fear of man, the brute retreated, raising a prolonged call to his brothers; and greedily they answered, till [16] a ring of crouching [17], jaw-slobbered [18] gray was stretched [19] round about. The old man listened to the drawing in of this circle. He waved his brand wildly, and sniffs [20] turned to snarls; but the panting [21] brutes refused to scatter.

---

1. **quick :** *rapide*, mais aussi, comme ici, *vif, qui a le sang chaud, emporté.*
2. **caribou :** au sens générique, comme ici, ne prend pas la marque du pluriel ; **to run thick :** *être abondant.*
3. **the fat hung heavy upon them :** m. à m. *la graisse pesait lourdement sur eux.* **To hang heavy,** *peser lourdement* (sur), souvent avec idée d'inutilité : cf. **time hangs heavy on my hands,** *je ne sais pas quoi faire de mon temps.*
4. **to still :** *(se) calmer, (s')apaiser, (se) tranquilliser.*
5. **hark! :** littéraire ou archaïque, *écoutez !*
6. **chill :** *froid, coup de froid, frisson.*
7. **void :** *vide, espace vide.*
8. **bull moose : bull** *(taureau)* indique aussi le *mâle* chez les animaux.
9. **to riddle :** *cribler, trouer* (de balles, etc.).

30

N'avait-il pas fait de même dans le feu de sa jeunesse ? Pendant un moment, il écouta le silence. Peut-être le cœur de son fils s'attendrirait-il, et il reviendrait avec ses chiens pour emmener son père avec la tribu vers les gras pâturages où abonde le caribou.

Il tendit l'oreille, le vagabondage de son esprit soudain suspendu. Rien ne bougeait alentour. Lui seul respirait au milieu de l'étendue muette. La solitude l'étreignait. Ah ! Quel était ce bruit ? Un frisson le parcourut. Le long hurlement familier déchira le silence tout proche. Alors dans la nuit de ses yeux l'élan réapparut, le vieux mâle aux flancs déchirés et sanglants, à la crinière en lambeaux, les grands bois fourchus s'inclinant au ras du sol et se redressant brusquement, luttant jusqu'au bout. Koskoosh revit les formes grises bondissantes, les yeux brillants, les langues pendantes, les crocs dégoulinants de bave. Et il vit le cercle se resserrer inexorablement jusqu'à ne plus être qu'un point noir au milieu de la neige piétinée.

Le froid contact d'un museau contre sa joue le ramena brutalement au présent. Sa main plongea dans le foyer pour en retirer une branche embrasée. Saisi sur le coup par sa crainte héréditaire de l'homme, la brute recula, en lançant un appel prolongé à ses frères ; ils y répondirent avidement, formes grises aux gueules écumantes, se déployant en cercle, prêtes à bondir. Le vieil homme entendait le cercle se resserrer. Il brandit violemment le rameau incandescent, et les halètements se changèrent en grondements, mais les brutes aux flancs palpitants refusèrent de se disperser.

---

10. **to toss :** 1) *lancer, jeter ;* 2) *s'agiter ;* 3) **(one's head)** *relever la tête.*
11. **to loll :** 1) *laisser pendre sa langue ;* 2) *se prélasser.*
12. **to slaver :** *baver.*
13. m. à m. *un mufle froid se pressa contre sa joue et à son contact son âme replongea vers le présent.*
14. **to shoot, shot, shot :** indique un mouvement rapide.
15. **for the nonce** [nʌns] : *pour la circonstance* (lit.).
16. **till :** *jusqu'à ce que.*
17. **to crouch :** *se ramasser pour bondir.*
18. **jaw-slobbered : jaw,** *mâchoire, babines ;* **to slobber :** *baver, couvrir de bave.*
19. **to stretch :** *(s')étendre, (s')étirer.*
20. **sniff :** *reniflement ;* **to sniff,** *renifler.*
21. **to pant :** *haleter, panteler.*

Now one wormed[1] his chest forward, dragging[2] his haunches after, now a second, now a third; but never a one[3] drew back. Why should he cling to life? he asked, and dropped the blazing stick into the snow. It sizzled and went out. The circle grunted uneasily but held its own[4]. Again he saw the last stand of the old bull moose, and Koskoosh dropped his head wearily[5] upon his knees[6]. What dit it matter after all? Was it not the law of life[7]?

---

1. **to worm** : *se déplacer comme un ver* (a worm). A besoin d'une postposition ou d'un complément (**to worm one's way, oneself**).
2. **to drag** : *traîner*.
3. **never a one** : littéraire pour **not a single one**.
4. **to hold one's own** : *tenir bon, tenir ferme, ne pas céder, ne pas lâcher pied, rester sur ses positions*, synonyme de **to hold one's ground**.
5. **wearily** : adv. formé sur l'adj. **weary**. La différence entre **tired** et **weary** est à peu près la même qu'entre *fatigué* et *las*.
6. m. à m. *sur ses genoux*.
7. **the law of life** : cette loi pose que l'individu doit mourir quand il a accompli sa fonction reproductrice, la nature ne s'intéressant qu'à la survie de l'espèce (cf. pp. 16, 18, 20).

Un des loups avança son poitrail et fit progresser son arrière-train. Un second l'imita, puis un troisième. Aucun ne recula. Pourquoi s'accrocher à la vie, se demanda Koskoosh ? Il lâcha le brandon, qui grésilla dans la neige et s'éteignit. Le cercle émit un grognement inquiet mais ne se rompit pas. Koskoosh revit une fois de plus le dernier combat du vieux mâle, et courba la tête avec lassitude. A quoi bon lutter ? Que pouvait-on contre la loi de la vie ?

Révisions

Vous avez rencontré dans la nouvelle que vous venez de lire l'équivalent des expressions françaises suivantes.

Vous en souvenez-vous ?

1. Son ouïe était encore fine.
2. Il tendit l'oreille.
3. Les moustiques disparaissent avec les premières gelées.
4. Il avait connu des périodes d'abondance.
5. La tribu attendait impatiemment l'hiver.
6. Il fallait lever le camp.
7. Un enfant pleurnicha, et une femme le calma.
8. On n'avait jamais rien connu de tel.
9. Longtemps il médita sur les jours de sa jeunesse.
10. C'était la dernière fois qu'il entendrait cette voix.
11. Il avait accompli de grands exploits.
12. La curée était proche.
13. La neige avait été piétinée de tous côtés.
14. L'animal s'était débarrassé de ses assaillants et s'était remis debout une fois de plus.
15. Telle était la loi de la vie.

1. His hearing was still acute.
2. He strained his ears.
3. The mosquitoes vanish with the first frost.
4. He had seen times of plenty.
5. The tribe looked forward to the winter.
6. Camp must (had to) be broken.
7. A child whimpered, and a woman soothed it.
8. Never had the like been known.
9. For long he pondered on the days of his youth.
10. It was the last time he would hear that voice.
11. He had done great deeds.
12. The kill was at hand.
13. The snow had been trampled in every direction.
14. The animal had shaken its assailants clear and gained footing once more.
15. Such was the law of life.

Love of Life

La rage de vivre

This out of all will remain –
They have lived and have tossed [1] :
So much [2] of the game will be gain,
Though the gold of the dice [3] has been lost.

They limped [4] painfully down the bank, and once the foremost of the two men staggered among the rough-strewn [5] rocks. They were tired and weak, and their faces had the drawn expression of patience which comes of hardship long endured. They were heavily burdened [6] with blanket packs which were strapped [7] to their shoulders. Head straps, passing across the forehead, helped support [8] these packs. Each man carried a rifle. They walked in a stooped posture, the shoulders well forward, the head still farther forward, the eyes bent upon the ground.

"I wish we had [9] just about two of them cartridges that's layin' [10] in that cache of ourn [11]," said the second man.

His voice was utterly and drearily expressionless. He spoke without enthusiasm; and the first man, limping into the milky stream that foamed over the rocks, vouchsafed [12] no reply.

The other man followed at his heels. They did not remove their footgear, though the water was icy cold – so cold that their ankles ached [13] and their feet went numb. In places the water dashed against their knees, and both men staggered [14] for footing.

The man who followed slipped on a smooth boulder, nearly fell, but recovered himself with a violent effort [15], at the same time uttering a sharp exclamation of pain.

---

1. **to toss** : *jouer à pile ou face ;* **to toss a coin** : *lancer une pièce en l'air.*
2. **so much** : *autant.* Cf. **so much per cent,** *tant pour cent.*
3. **dice** : pl. de **die,** *dé.* La tendance moderne est d'utiliser **dice** même au singulier, ou de dire **one of the dice.** Die subsiste dans l'expression **the die is cast,** m. à m. *le dé est jeté.*
4. **to limp** : *boiter, claudiquer, traîner la jambe.*
5. **rough-strewn : rough,** *rude, rugueux, fruste, sommaire, gros-sier, approximatif.* Donne l'idée d'une disposition irrégulière. **To strew, strewed, strewn,** *joncher.*
6. **to burden** : *charger, alourdir, encombrer.* **Burden,** *fardeau.*
7. **to strap** : *fixer, attacher, avec une courroie, une lanière.*
8. **helped support : to help** est souvent suivi de l'infinitif sans **to ;** cf. **help me do it!**

Il reste, quand tout est joué,
Qu'ils ont vécu, qu'ils ont parié :
C'est ainsi qu'ils auront gagné
Même en perdant l'or aux dés

Les deux hommes descendirent péniblement la berge, et celui qui marchait en tête chancela soudain au milieu des rochers qui jonchaient le sol. Ils étaient épuisés et affaiblis, et leurs visages tirés exprimaient cette patience née des privations longtemps endurées. Ils étaient lourdement chargés de ballots entourés de couvertures et fixés à leurs épaules. Des courroies passant autour de leur front aidaient à stabiliser la charge. Ils portaient chacun une carabine. Ils avançaient, voûtés, les épaules baissées, la tête projetée en avant, les yeux fixés sur le sol.

« Si seulement nous avions deux ou trois de ces cartouches qui sont restées dans notre cache », dit le second.

Sa voix était morne et sans expression. Il parlait sans le moindre enthousiasme, et son compagnon, qui s'engageait en boitant dans le flot laiteux qui écumait autour des rochers, ne daigna même pas répondre.

Le deuxième homme le suivait de près. Ils n'avaient pas retiré leurs bottes, malgré le froid glacial de l'eau — si glacial qu'ils en avaient mal aux chevilles et qu'ils ne sentaient plus leurs pieds. Par endroits, le remous faisait monter l'eau jusqu'à leurs genoux et ils titubaient avant de retrouver leur équilibre.

Le second glissa sur un gros galet lisse, faillit tomber, mais se redressa d'un effort violent, tout en poussant un cri de douleur aigu.

---

9. **I wish we had : I wish** + prétérit modal (prétérit à valeur de conditionnel) indique un regret.
10. **them cartridges that's :** fam. pour **the cartridges that are ; laying :** lying. Confusion fréquente en américain familier entre **to lie, lay, lain,** *être étendu* et **to lay, laid, laid,** *poser.*
11. **of ourn :** of ours. Variante dialectale qui a préservé une forme ancienne. Cf. **yourn** = **yours.**
12. **to vouchsafe :** *accorder, octroyer, daigner accorder.*
13. **to ache** [eik] : *faire mal* ; subst. **ache. Headache,** *mal de tête,* **toothache,** *mal de dents.*
14. **to stagger :** 1) *chanceler, vaciller, tituber ;* 2) *frapper d'étonnement, de stupeur.*
15. **effort :** Δ pron. ['efərt]. *Faire un effort,* **to make an effort.**

He seemed faint and dizzy [1] and put out his free hand while he reeled [2], as though seeking support against the air. When he had steadied himself he stepped forward, but reeled again and nearly fell. Then he stood still and looked at the other man, who had never [3] turned his head.

The man stood still for fully a minute, as though debating with himself. Then he called out:

"I say [4], Bill, I've sprained my ankle."

Bill staggered on [5] through the milky water. He did not look around. The man watched him go, and though his face was expressionless as ever, his eyes were like the eyes of a wounded [6] deer.

The other man limped up [7] the farther bank and continued straight on without looking back. The man in the stream watched him. His lips trembled a little, so that the rough thatch [8] of brown hair which covered them was visibly agitated. His tongue [9] even strayed [10] out to moisten them.

"Bill !" he cried out.

It was the pleading cry of a strong man in distress, but Bill's head did not turn. The man watched him go, limping grotesquely and lurching [11] forward with stammering [12] gait up the slow slope toward the soft [13] sky line of the low-lying hill. He watched him go till he passed over the crest and disappeared. Then he turned his gaze [14] and slowly took in [15] the circle of the world that remained to him now that Bill was gone.

---

1. **faint :** 1) *faible* ; 2) *vague*. **To feel faint,** *avoir un malaise.* **To faint,** *s'évanouir.* **To feel dizzy,** *avoir le vertige, être pris d'étourdissement.*
2. **to reel :** 1) *tournoyer* ; 2) *chanceler.*
3. **never :** forme emphatique, comme dans **he never answered a word,** *il n'a pas répondu un seul mot.*
4. **I say :** familier comme *dis donc !* en français.
5. **staggered on :** c'est, comme toujours, la postposition (ici **on**) qui indique l'action principale *(continuer),* le verbe n'indiquant que la manière.
6. **wounded** [wu:ndid] : m. à m. *blessé.*
7. **limped up :** même remarque que pour la note 4.
8. **thatch :** *chaume.* **A thatch-roofed cottage,** *une maisonnette au toit de chaume.*
9. **tongue :** pron. [tʌŋ].

Il semblait au bord du vertige et étendit sa main libre en chancelant, comme s'il cherchait à s'appuyer sur l'air. Quand il eut retrouvé l'équilibre, il fit un pas en avant, mais trébucha à nouveau et faillit tomber. Il s'immobilisa alors, les yeux fixés sur son compagnon qui ne s'était même pas retourné.

Il resta immobile une bonne minute, comme s'il débattait en lui-même. Puis il cria :

« Eh ! Bill, je me suis foulé la cheville ! »

Bill continua à avancer péniblement dans les remous. Il ne jeta pas un regard en arrière. L'autre suivait sa progression et, bien que son visage restât sans expression, ses yeux étaient ceux d'un cerf aux abois.

Bill remonta lourdement la berge opposée et continua tout droit sans se retourner. L'homme resté au milieu du courant le regardait avancer. Un léger tremblement agita la rude toison de poils bruns qui recouvrait ses lèvres. Il les humecta instinctivement du bout de la langue.

« Bill ! » appela-t-il.

C'était le cri implorant d'un homme fort en détresse, mais Bill ne tourna pas la tête. L'autre le regarda s'éloigner, d'une démarche hésitante aux embardées soudaines de boiteux grotesque, suivant la pente douce de la colline basse qui se fondait dans l'horizon. Il le suivit des yeux jusqu'à ce qu'il disparût en franchissant la crête. Il détourna alors son regard, pour prendre lentement la mesure du monde qui se refermait sur lui, maintenant que Bill était parti.

---

10. **to stray** : *s'écarter, s'égarer, errer.* Indique souvent, comme ici, un mouvement automatique ou involontaire.

11. **to lurch** : *faire une embardée.*

12. **to stammer** : 1) *bégayer* ; 2) ici, par extension du sens – comme d'ailleurs en anglais dialectal –, *hésiter dans sa démarche* **(gait)**, *trébucher.*

13. **soft** : 1) *mou* ; 2) *doux* ; 3) *flou.*

14. **gaze** : *regard fixe.* **To gaze (at something)**, *regarder fixement, contempler.*

15. **to take in** : 1) *embrasser du regard* ; 2) *juger, se rendre compte* (d'une situation). Ces deux sens se cumulent ici.

Near the horizon the sun was smoldering [1] dimly [2], almost obscured by formless mists and vapors, which gave an impression of mass and density without outline or tangibility. The man pulled out his watch, the while [3] resting his weight on one leg. It was four o'clock and as the season was near the last of July or first of August – he did not know the precise [4] date within a week or two– he knew that the sun roughly marked the northwest. He looked to the south and knew that somewhere beyond those bleak [5] hills lay the Great Bear Lake; also he knew that in that direction the Arctic Circle cut its forbidding [6] way across the Canadian Barrens [7]. This stream in which he stood was a feeder [8] to the Coppermine [9] River, which in turn flowed north and emptied into Coronation Gulf and the Arctic Ocean. He had never been there, but he had seen it, once, on a Hudson's Bay Company [10] chart [11].

Again his gaze completed the circle of the world about him. It was not a heartening [12] spectacle. Everywhere was soft sky line. The hills were all low-lying. There were no trees, no shrubs, no grasses – naught but a tremendous and terrible desolation that sent fear swiftly dawning [13] into his eyes.

"Bill !" he whispered, once and twice; "Bill !"

He cowered [14] in the midst [15] of the milky water, as though the vastness were pressing in upon him with overwhelming force, brutally crushing him with its complacent [16] awfulness [17]. He began to shake as with an ague [18] fit, till the gun fell from his hand with a splash [19]. This served to rouse him.

---

1. **smolder,** (G.B.) smoulder : *brûler sans flammes, couver.*
2. **dimly :** de **dim,** *pâle, indistinct, imprécis, vague.*
3. **the while :** m. à m. *pendant ce temps.*
4. **precise :** △ pron. [pri'saïs] **s** et non **z.**
5. **bleak :** *morne, sinistre, aride, désert, battu des vents.*
6. **forbidding :** *sinistre, menaçant.* To **forbid :** *interdire.*
7. **Barrens :** *terres arides,* ici nom géographique ; **barren,** adj. = *aride, stérile.*
8. **feeder :** de to **feed,** *nourrir, alimenter, approvisionner.*
9. **Coppermine :** de **copper mine,** *mine de cuivre.*
10. **Hudson's Bay Company :** société faisant le commerce des peaux.
11. **chart :** *carte maritime.* Aussi *graphique, diagramme.*
12. **heartening :** *réconfortant, encourageant.*
13. **to dawn :** 1) *poindre* (aube), *se lever* (jour) ; 2) *apparaître,*

Près de l'horizon le soleil rougeoyait faiblement, presque obscurci par des brumes et des vapeurs aux formes vagues, qui donnaient une impression de masse et de densité sans contour ni consistance. L'homme sortit sa montre, en faisant porter le poids de son corps sur une jambe. Il était quatre heures et, comme on approchait de la fin juillet ou du début août — il ne connaissait pas la date exacte à une semaine ou deux près —, il sut que le soleil indiquait grossièrement le nord-ouest. Il regarda vers le sud, sachant que quelque part au-delà de ces collines désolées se trouvait le lac du Grand-Ours. Il savait aussi que c'était dans cette direction que le cercle arctique traversait le Canada, en imprimant sa marque austère sur des étendues arides. Le torrent au milieu duquel il se tenait était un affluent de la Coppermine, qui à son tour coulait vers le nord et se jetait dans le golfe du Couronnement et l'océan Arctique. Il n'y était jamais allé mais il l'avait vu, une fois, sur une carte de la Compagnie de la Baie d'Hudson.

Il fit à nouveau du regard le tour du monde qui l'entourait. Ce n'était pas un spectacle réjouissant. Partout le même horizon flou, les mêmes collines basses. Ni arbre, ni arbuste, ni herbe, rien qu'une désolation immense et implacable qui fit soudain sourdre la peur au fond de ses yeux.

« Bill », murmura-t-il, puis à nouveau « Bill ».

Il se sentait accablé au milieu des remous laiteux comme si l'immensité l'oppressait de sa force irrésistible, l'écrasant brutalement de sa solennité imperturbable. Il se mit à trembler, comme pris d'un accès de fièvre, si bien que sa main lâcha le fusil qui tomba bruyamment à l'eau. Cela l'arracha à sa torpeur.

---

venir à l'esprit (pensée). **It suddenly dawned on me,** je compris soudain, l'idée s'imposa soudain à moi.
14. **to cower :** se blottir, se tapir, se faire tout petit, trembler (de terreur, par lâcheté).
15. **midst : middle.** Forme ancienne encore très utilisée.
16. **complacent :** △ autosatisfait, suffisant.
17. **awfulness :** caractère imposant ou terrible. Formé sur l'adjectif **awful :** 1) affreux ; 2) solennel. **Awe** signifiait à l'origine la terreur inspirée par les dieux.
18. **ague** [ˈeɪɡjuː] : fièvre intermittente (cf. fièvre paludéenne) accompagnée de tremblements.
19. **splash :** bruit d'éclaboussement.

He fought with his fear and pulled himself together, groping [1] in the water and recovering the weapon. He hitched [2] his pack farther over on his left shoulder, so as to take a portion of its weight from off [3] the injured ankle. Then he proceeded, slowly and carefully, wincing [4] with pain, to the bank.

He did not stop. With a desperation that was madness, unmindful [5] of the pain, he hurried up the slope to the crest of the hill over which his comrade had disappeared – more grotesque and comical by far than that limping, jerking [6] comrade. But at the crest he saw a shallow valley, empty of life. He fought with his fear again, overcame it, hitched the pack still farther over on his left shoulder, and lurched on down [7] the slope.

The bottom of the valley was soggy with water, which the thick moss held, spongelike [8], close to the surface. This water squirted [9] out from under his feet at every step, and each time he lifted a foot the action culminated in a sucking sound as the wet moss reluctantly [10] released [11] its grip. He picked his way [12] from muskeg [13] to muskeg, and followed the other man's footsteps along and across the rocky ledges [14] which thrust [15] like islets through the sea of moss.

Though alone, he was not lost. Farther on, he knew, he would come to where dead spruce and fir, very small and wizened [16], bordered the shore of a little lake, the *titchin-nichilie*, in the tongue [17] of the country, the "land of little sticks".

---

1. **to grope** : se construit avec un complément introduit par **for** : to grope for words, *chercher ses mots*.

2. **to hitch** : 1) *accrocher, attacher, fixer* ; 2) (ici) *remonter, faire remonter, déplacer d'un mouvement sec ou saccadé.*

3. **... off** : m. à m. *retirer une partie de son poids de la cheville blessée.*

4. **to wince** : *broncher, tressaillir de douleur, grimacer de douleur.*

5. **unmindful of** : *sans prêter attention à.*

6. **to jerk** : 1) *donner une secousse, secouer* ; 2) *se mouvoir par saccades.*

7. **lurched on down...** : la postposition **on** indique qu'il continue à avancer *(en titubant)*, la préposition **down** qu'il aborde la descente de la pente.

8. **spongelike** : de **sponge** ; pron. [spʌndʒ].

42

Combattant sa peur il se ressaisit, chercha l'arme à tâtons dans le torrent et la récupéra. Il fit glisser son sac vers son épaule gauche, de façon à soulager d'autant sa cheville droite blessée. Puis il se mit à avancer, lentement, prudemment, en grimaçant de douleur, vers la rive.

Il ne s'arrêta pas. Avec la folie du désespoir, au mépris de la douleur, il s'élança sur la pente vers la crête de la colline derrière laquelle son compagnon avait disparu. Sa démarche était encore plus grotesque et comique que celle, hésitante et saccadée, de ce dernier. Mais du sommet il ne vit qu'une vallée peu profonde, d'où toute vie était absente. Il lutta à nouveau contre sa terreur, la domina, fit glisser son sac encore plus loin sur son épaule gauche, et commença la descente en titubant.

Le sol de la vallée était spongieux, l'eau retenue près de la surface par une mousse épaisse qui agissait comme une éponge. L'eau giclait à chacun de ses pas et la mousse humide, relâchant son emprise à regret, émettait un bruit de succion chaque fois qu'il en dégageait le pied. Il allait de monticule en monticule et suivait les traces laissées par l'autre, suivant ou traversant les saillies rocheuses qui formaient des îlots au milieu de l'océan de mousse.

Bien que seul, il n'était pas perdu. Il savait que plus loin il parviendrait à l'endroit où des épicéas et des sapins morts, rabougris et desséchés, bordaient la rive d'un petit lac, le « ttchinnichilie », dans la langue de la contrée, le « pays des petits bâtons ».

---

9. **to squirt :** 1) *jaillir, gicler* ; 2) *faire jaillir, faire gicler* ; 3) *injecter avec une seringue.*
10. **reluctantly :** de **reluctant**, *réticent.*
11. **to release :** △ pron. [ri'li:s].
12. **to pick one's way :** *marcher avec précaution, chercher où mettre les pieds.* Le sens dominant de **to pick** est *choisir.*
13. **muskeg :** *fondrière, marécage,* ou, comme ici, *petits monticules de matières végétale en décomposition.*
14. **ledge :** *rebord, corniche, saillie.*
15. **to thrust, thrust :** 1) *pousser, lancer, projeter* ; 2) *se projeter, pénétrer.*
16. **wizened** ['wiznd] : *desséché, ratatiné, parcheminé.*
17. **tongue :** △ pron. [tʌŋ].

And into that lake flowed a small stream [1], the water of which was not milky. There was rush grass [2] on that stream – this he remember well – but no timber [3], and he would follow it [4] till its first trickle [5] ceased [6] at a divide. He would cross this divide to the first trickle of another stream, flowing to the west, which he would follow until it emptied into the river Dease, and here he would find a cache under an upturned canoe and piled over with many rocks. And in this cache would be ammunition for his empty gun, fishhooks and lines, a small net – all the utilities [7] for the killing and snaring [8] of food. Also he would find flour – not much – a piece of bacon, and some beans.

Bill would be waiting for him there, and they would paddle away south [9] down the Dease to the Great Bear Lake. And south across the lake they would go, ever south, till they gained the Mackenzie. And south, still south, they would go, while the winter raced vainly after them, and the ice formed in the eddies [10], and the days grew chill [11] and crisp [12], south to some warm Hudson's Bay Company post, where timber grew [13] tall and generous and there was grub [14] without end.

These were the thoughts of the man as he strove [15] onward. But hard as he strove with his body, he strove equally hard with his mind, trying to think that Bill had not deserted him, that Bill would surely wait for him at the cache. He was compelled to think this thought [16], or else there would not be any use to strive, and he would have lain down and died.

---

1. **a small stream** : les noms s'appliquant aux cours d'eau ne se traduisent pas toujours facilement d'anglais en français et vice versa. A **river** peut désigner *un fleuve* ou *une rivière*, **a stream** *un torrent* ou *un ruisseau*.

2. **rush grass** : *herbe* du genre sporobolus, à tige dure portant une panicule (épi) et ressemblant, en plus petit, au jonc (**rush**) ou au roseau (**reed**).

3. **timber** : 1) (ici) *bois sur pied, arbres* ; 2) *bois de construction*.

4. **it** : renvoie bien sûr à **stream**.

5. **trickle** : cf. le verbe **to trickle**, *couler goutte à goutte, suinter, ruisseler*.

6. **to cease** : *cesser* ; △ pron. [si:s].

7. **utility** : 1) *utilité* ; 2) (ici) *objet utile*.

8. **to snare** : *chasser, prendre, au filet, au collet, prendre au piège*.

Et dans ce lac se jetait un petit ruisseau dont l'eau n'était pas laiteuse. Il y avait des joncs le long de ce ruisseau — il s'en souvenait bien — mais pas d'arbres. Il le remonterait jusqu'à ce que son premier filet d'eau sorte du sol. Là, il franchirait la ligne de partage des eaux pour atteindre la source d'un autre ruisseau qui coulait vers l'ouest, qu'il suivrait jusqu'à ce qu'il se déverse dans la rivière Dease, où il trouverait une cache protégée par un canoë retourné sous un amoncellement de grosses pierres. Il y aurait là les munitions qui manquaient pour son fusil, des hameçons et des lignes, une petite épuisette — tout ce qui permettait de se procurer de la nourriture en tuant et en piégeant. Il y trouverait aussi de la farine — pas beaucoup —, un morceau de lard, et quelques haricots.

C'est là que Bill l'aurait attendu, et ils descendraient la Dease en canoë en direction du sud jusqu'au lac du Grand-Ours. Et ils traverseraient le lac vers le sud, toujours vers le sud, jusqu'à ce qu'ils atteignent le fleuve Mackenzie. Ils iraient vers le sud, encore vers le sud, tandis que l'hiver les poursuivrait en vain, que la glace se formerait au bord des remous, et que le froid se ferait chaque jour plus mordant. Ils iraient vers le sud, vers la chaleur d'un poste de la Compagnie de la Baie d'Hudson, où les arbres poussent haut et dru et où la nourriture est inépuisable.

Ainsi pensait-il en avançant péniblement. Mais s'il imposait de durs efforts à son corps, il en imposait d'aussi rudes à son esprit, essayant de croire que Bill ne l'avait pas abandonné, que Bill l'attendrait sûrement à la cache. Il lui fallait s'accrocher à cette idée, sans quoi tout effort était vain, et il ne lui restait plus qu'à se coucher pour mourir.

---

9. **paddle away south : to paddle,** *pagayer. Aller vers le sud :* to go south.

10. **eddy :** *tourbillon.*

11. **chill :** comme adjectif va de *frais* à *froid, glacé,* selon le contexte. **To catch a chill :** *attraper froid, un refroidissement.* **To chill :** *glacer, réfrigérer ; donner des frissons.*

12. **crisp :** 1) *croustillant* ; 2) *sec, mordant.*

13. **grew :** prétérit utilisé pour la concordance des temps, **they would go where timber grew.**

14. **grub :** fam. pour *nourriture.*

15. **to strive, strove, striven :** *s'efforcer, essayer, faire des efforts.*

16. **to think a thought :** cf. **to dream a dream** *(faire un rêve).* L'anglais n'est pas gêné par cette répétition du nom et du verbe de même racine.

And as the dim ball of the sun sank[1] slowly into the northwest he covered every inch –and many times– of his and Bill's flight[2] south before the downcoming winter. And he conned[3] the grub of the cache and the grub of the Hudson's Bay Company post over and over again. He had not eaten for two days; for a far longer time he had not had all he wanted[4] to eat. Often he stooped and picked pale muskeg berries, put them into his mouth, and chewed and swallowed them. A muskeg berry is a bit of seed enclosed in a bit of water. In the mouth the water melts away and the seed chews[5] sharp and bitter. The man knew there was no nourishment[6] in the berries, but he chewed them patiently with a hope greater than knowledge and defying experience.

At nine o'clock he stubbed his toe[7] on a rocky ledge, and from sheer[8] weariness and weakness staggered and fell. He lay for some time, without movement, on his side. Then he slipped out of the pack straps and clumsily dragged himself[9] into a sitting posture. It was not yet dark, and in the lingering twilight he groped about among the rocks for shreds[10] of dry moss. When he had gathered a heap he built a fire –a smoldering, smudgy[11] fire– and put a tin[12] pot of water on to boil.

He unwrapped[13] his pack and the first thing he did was to count his matches. There were sixty-seven. He counted them three times to make sure.

---

1. **to sink, sank, sunk** : *couler, (s')enfoncer.*
2. **flight** : m. à m. *sa fuite et celle de Bill.*
3. **to con** : *étudier.* Il existe un autre verbe **to con**, d'un emploi plus moderne, qui signifie *escroquer, commettre un abus de confiance, tromper.*
4. **all he wanted** : sous-entendu **that** (**all that he wanted**). *Ce qu'il voulait* : **what he wanted**. *Tout ce qu'il voulait* : **all (that) he wanted**.
5. **to chew** : *mâchonner, mastiquer.* La tournure de sens passif **it chews sharp and bitter** est analogue à l'emploi de **to read** dans : **the telegram read**, *le télégramme disait* (se lisait).
6. **nourishment** : △ orthographe (un seul **r**) et pron. ['nʌrɪʃmənt].
7. **stubbed his toe** : m. à m. *se cogna l'orteil.* **A stub**, *une souche,* d'où **to stub one's foot, one's toe** : *se heurter le pied, se cogner l'orteil contre une souche.*

Et tandis que le globe pâlissant du soleil sombrait lentement au nord-ouest, il vit et revit en pensée chaque pouce du terrain qu'il parcourrait avec Bill, fuyant l'hiver dans leur course vers le sud. Et il calcula à plusieurs reprises la quantité de nourriture dans la cache, et celle du poste de la Compagnie de la Baie d'Hudson. Il n'avait rien mangé depuis deux jours et cela faisait beaucoup plus longtemps qu'il n'avait pas mangé à sa faim. Il se penchait souvent pour ramasser de pâles baies des marais, les portait à sa bouche pour les mâchonner et les avaler. Les baies des marais ne sont qu'un peu de graine dans un petit sac d'eau. Dans la bouche l'eau s'échappe et la graine que l'on mâche est acide et amère. L'homme savait que ces baies n'étaient pas nourrissantes mais il les mastiquait patiemment, avec un espoir plus fort que le savoir et qui défiait l'expérience.

A neuf heures, il buta du pied contre une saillie rocheuse ; sa fatigue et sa faiblesse étaient telles qu'il chancela et s'abattit. Il resta quelques instants immobile, allongé sur le côté. Puis il se libéra des courroies de son sac à dos, et parvint péniblement à s'asseoir. Il ne faisait pas encore nuit et, dans le crépuscule qui se prolongeait, il chercha à tâtons des morceaux de mousse sèche parmi la pierraille. Quand il en eut rassemblé un tas il construisit un feu — qui couvait et fumait plus qu'il ne brûlait — sur lequel il mit de l'eau à bouillir dans une casserole en étain.

Il déballa son paquetage et son premier acte fut de compter ses allumettes. Il y en avait soixante-sept. Il les compta trois fois pour en être bien sûr.

---

8. **sheer :** 1) (ici) *pur, pur et simple.* **This is sheer madness,** *c'est de la folie pure* ; 2) *à pic, abrupt.*
9. **clumsily dragged himself :** m. à m. *se traîna maladroitement.*
10. **shred :** *lambeau, fragment.* **To tear to shreds,** *mettre en lambeaux, déchiqueter.*
11. **smudgy :** 1) *taché, souillé, sali* ; 2) (U.S.) *qui dégage de la fumée, qui charbonne.* **To smudge,** *tacher, salir, barbouiller.* **A smudge,** *une tache.*
12. **tin :** *étain ou fer-blanc.*
13. **unwrapped :** formé sur **to wrap** [ræp], *envelopper, empaqueter.*

ne divided them into several portions, wrapping them in oil paper, disposing of[1] one bunch[2] in his empty tobacco pouch, of another bunch in the inside band of his battered[3] hat, of a third bunch under his shirt on the chest. This accomplished, a panic came upon him, and he unwrapped them all and counted them again. There were still sixty-seven.

He dried his wet footgear[4] by the fire. The moccasins were in soggy shreds. The blanket socks were worn through[5] in places, and his feet were raw[6] and bleeding[7]. His ankle was throbbing, and he gave it an examination. It had swollen[8] to the size of his knee. He tore a long strip from one of his two blankets and bound[9] the ankle tightly. He tore[10] other strips and bound them about his feet to serve for both moccasins and socks. Then he drank the pot of water, steaming hot, wound[11] his watch, and crawled between his blankets.

He slept like a dead man[12]. The brief darkness around midnight came and went. The sun arose in the northeast –at least the day dawned[13] in that quarter, for the sun was hidden by gray clouds.

At six o'clock he awoke, quietly lying on his back. He gazed[14] straight up into the gray sky and knew that he was hungry. As he rolled over on his elbow he was startled by a loud snort, and saw a bull caribou regarding[15] him with alert curiosity.

---

1. **to dispose of something :** peut avoir comme ici le sens de *ranger, placer, mettre, disposer*, mais est le plus souvent faux ami avec le sens de *se débarrasser de.*
2. **bunch :** *bouquet, grappe, poignée, groupe.*
3. **to batter :** *frapper à coups répétés ; déformer, cabosser.*
4. **footgear :** ce qu'on porte aux pieds, *chaussures, bottes, chaussons,* etc. Comprend ici les mocassins, et les lambeaux de couverture ; **gear :** *équipement, mécanisme, appareil.*
5. **worn through :** de **to wear through,** *user jusqu'à la corde, trouer par l'usure.* **To wear, wore, worn.**
6. **raw :** 1) *cru ; saignant, à vif* ; 2) *brut.* **Raw materials,** *matières premières* ; 3) *sans expérience.*
7. **to bleed, bled, bled :** *saigner.*
8. **to swell, swelled, swollen** ou **swelled :** *gonfler.*
9. **bound :** de **to bind, bound, bound,** *lier, attacher.*

48

Il les divisa en plusieurs lots et les enveloppa dans du papier huilé, en glissa un paquet dans sa blague à tabac vide, un autre sous la bande intérieure de son chapeau cabossé, une troisième sur sa poitrine, sous sa chemise. Cela fait, une panique soudaine le saisit, et il les déballa toutes pour les compter à nouveau. Il y en avait toujours soixante-sept.

Il mit à sécher près du feu ses mocassins et chaussettes. Les premiers n'étaient plus que des lambeaux détrempés. Les secondes, taillées dans des couvertures, étaient trouées par endroits, et il avait les pieds à vif et sanguinolents. Sa cheville palpitait et il l'examina attentivement. Elle était enflée aux dimensions de son genou. Il déchira un long ruban d'une de ses couvertures et en fit un bandage serré autour de sa cheville. Il déchira d'autres rubans et s'en entoura les pieds pour servir à la fois de mocassins et de chaussettes. Puis il but l'eau qui fumait dans la casserole, remonta sa montre et se glissa péniblement dans ses couvertures.

Il dormit d'un sommeil de plomb. L'obscurité se fit brièvement aux alentours de minuit. Puis le soleil se leva au nord-est, ou plutôt c'est dans cette direction que le jour parut car le soleil était caché par des nuages gris.

Il se réveilla à six heures, tranquillement étendu sur le dos. Son regard plongea au fond du ciel gris et il sut qu'il avait faim. Alors qu'il se retournait sur le coude il fut surpris par un grognement sonore et vit un caribou mâle qui l'étudiait avec une vive curiosité.

---

10. **tore** : de **to tear** ['tɛər], **tore, torn,** *déchirer*. Attention à la différence de prononciation avec **a tear** ['tiər], *une larme*.

11. **wound** [waund] : de **to wind** [waind], **wound, wound,** 1) *serpenter, tourner* ; 2) *(s')enrouler* ; 3) *remonter (réveil)*. Attention à la différence de prononciation avec **wind** [wind], *le vent* et **wound** [wu:nd], *blessure*.

12. **like a dead man** : m. à m. *comme un mort*. On dit aussi **to sleep like a log** *(une bûche)*, **a top** *(une toupie)*.

13. **to dawn** : cf. **dawn**, *aube, aurore*.

14. **to gaze** : *regarder fixement, fixer* ; complément en général introduit par **at**.

15. **regarding** : de **to regard** , au sens littéraire de *regarder attentivement*. Sens usuel : 1) *considérer* ; 2) *concerner*. **As regards**, *pour ce qui est de*.

The animal was not more than fifty feet away [1], and instantly into the man's mind leaped [2] the vision and the savor of a caribou steak sizzling and frying [3] over a fire. Mechanically he reached for the empty gun, drew a bead [4], and pulled the trigger. The bull snorted and leaped away, his hoofs rattling [5] and clattering [6] as he fled across the ledges.

The man cursed and flung the empty gun from him. He groaned aloud as he started to drag himself to his feet. It was a slow and arduous task. His joints were like rusty hinges. They worked harshly [7] in their sockets [8], with much friction, and each bending [9] or unbending was accomplished only through a sheer exertion of will. When he finally gained his feet, another minute or so was consumed in straightening up, so that he could stand erect as a man should stand.

He crawled up a small knoll [10] and surveyed the prospect [11]. There were no trees, no bushes, nothing but a gray sea of moss scarcely diversified by gray rocks, gray lakelets, and gray streamlets. The sky was gray. There was no sun nor hint [12] of sun. He had no idea of north, and he had forgotten the way he had come to this spot the night before. But he was not lost. He knew that. Soon he would come to the land of the little sticks. He felt that it lay off to the left somewhere, not far − possibly just over the next low hill.

He went back to put his pack into shape for traveling [13]. He assured himself of the existence of his three separate parcels of matches, though he did not stop to count them. But he did linger [14], debating, over a squat [15] moose-hide sack.

---

1. **fifty feet away :** I foot = 30, 48 cm.
2. **to leap :** *sauter, bondir, jaillir* (flamme).
3. **sizzling and frying : to sizzle,** *grésiller ;* **to fry,** *frire.*
4. **to draw a bead : bead,** *perle, bulle, goutte, petite boule,* signifie aussi le *guidon* ou la *mire* d'un fusil. D'où **to draw a bead,** *viser, ajuster.*
5. **to rattle :** *cliqueter, ferrailler, crépiter,* etc. Indique en général un bruit métallique. **A rattle :** *une crécelle.*
6. **to clatter :** indique le bruit d'objets qui s'entrechoquent, un *vacarme de claquements* ou *craquements successifs.* **Clatter of hoofs,** *martèlement de sabots* (d'animaux).
7. **harshly :** adv. formé sur **harsh,** *dur, rude, âpre.*
8. **socket :** *alvéole, cavité, orbite* (yeux) ; *douille* (ampoule).

L'animal n'était pas à plus de quinze mètres et l'homme eut aussitôt la vision d'un savoureux steak de caribou grésillant sur le feu. Il se saisit mécaniquement du fusil, visa et pressa la détente. Le caribou grogna et s'éloigna en bondissant, dans un raclement et un claquement de sabots tandis qu'il sautait de roche en roche dans sa fuite.

L'homme jura et jeta le fusil vide. Ses efforts pour se mettre debout lui arrachèrent un gémissement profond. C'était une tâche lente et pénible. Ses articulations se comportaient comme des gonds rouillés. Elles jouaient difficilement dans leurs cavités, se bloquant presque, et il lui fallait faire appel à toute sa volonté pour plier ou déplier ses membres. Quand il fut finalement sur pied, il mit à peu près une minute à se redresser, afin de se tenir droit comme il convient à un homme.

Il se hissa au sommet d'un petit tertre d'où il dominait le paysage. Ni arbres ni buissons, rien qu'une mer grise de mousses dont la monotonie était à peine rompue par des rochers gris, de petits lacs gris et des ruisseaux gris. Le ciel était gris. Le soleil n'était pas visible et rien n'indiquait sa position. Il ne savait pas où se trouvait le nord et il avait oublié de quelle direction il était venu la veille. Mais il n'était pas perdu. Il en était sûr. Il atteindrait bientôt la région des petits bâtons. Elle devait être vers la gauche, pas loin, peut-être juste derrière la prochaine petite colline.

Il revint sur ses pas, pour rassembler son paquetage avant de repartir. Il s'assura que ses paquets d'allumettes étaient bien là tous les trois, mais n'alla pas jusqu'à les recompter. Par contre, il s'attarda à soupeser du regard un sac pansu en peau d'élan.

---

9. **to bend, bent, bent** : *courber, plier, fléchir.*
10. **knoll** : △ pron. [nəul]. A l'initiale, le **k** ne se prononce pas devant un **n** (**knee, to know, to knock**, etc.).
11. **prospect** : *perspective*, d'où les deux sens de *paysage*, ou d'*avenir*. **Bright prospects** : *avenir brillant, excellentes perspectives.*
12. **hint** : *allusion, insinuation, conseil, « tuyau ».* **No hint of...**, *pas la moindre trace de.* **To drop a hint**, *faire une allusion ;* **to hint**, *laisser entendre.*
13. **traveling** : (G.B) **travelling.**
14. **he did linger** : **did** de renforcement. Cf. **I do believe you**, *je vous crois vraiment.*
15. **squat** : *trapu, courtaud*, signifie aussi *accroupi* ; **to squat**, *s'accroupir, être accroupi.*

It was not large. He could hide it under his two hands. He knew that it weighed fifteen pounds [1] – as much as all the rest of the pack – and it worried him. He finally set it to one side and proceeded [2] to roll the pack. He paused to gaze at the squat moose-hide sack. He picked it up hastily [3] with a defiant [4] glance about him, as though the desolation were trying to rob him ot it [5]; and when he rose to his feet to stagger on into the day, it was included in the pack on his back.

He bore away [6] to the left, stopping now and again to eat muskeg berries. His ankle had stiffened [7], his limp was more pronounced, but the pain of it was as nothing compared with the pain of his stomach. The hunger pangs [8] were sharp. They gnawed [9] and gnawed until he could not keep his mind steady on the course he must pursue to gain the land of little sticks. The muskeg berries did not allay [10] this gnawing, while [11] they made his tongue and the roof of his mouth sore with their irritating bite.

He came upon a valley where rock ptarmigan [12] rose on whirring [13] wings from the ledges and muskegs. "Ker – ker – ker" was the cry they made. He threw stones at them but could not hit them. He placed his pack on the ground and stalked [14] them as a cat stalks a sparrow. The sharp rocks cut through his pants legs till his knees left a trail of blood [15]; but the hurt was lost in the hurt of his hunger. He squirmed [16] over the wet moss, saturating his clothes and chilling his body; but he was not aware of it, so great was his fever for food.

---

1. **to weigh :** *peser.* Ne pas confondre avec le verbe **to weight,** 1) *alourdir ;* 2) *pondérer.* Poids, **weight. Pound :** 0,454 kg.

2. **to proceed :** 1) *se mettre à ;* 2) *continuer, passer à, se diriger vers.*

3. **hastily :** *précipitamment, à la hâte ; sommairement.*

4. **defiant :** △ pron. [diˈfaiənt]. *Un défi :* **a challenge.**

5. **to rob him of it :** △ construction de *voler quelque chose à quelqu'un :* **to rob somebody of something,** ou **to steal something from somebody.**

6. **he bore away :** **to bear, bore, borne,** *porter, supporter, se porter dans une direction.* △ le p.p. ne s'écrit **born** que dans le cas de **I was born,** *je suis né.*

7. **to stiffen :** formation classique adj. + **en** = verbe ; sur **stiff,** *raide.*

Ce n'était pas un gros sac. Ses deux mains suffisaient à le cacher. Il savait qu'il pesait quinze livres, autant que le reste de son paquetage, et cela le tracassait. Il le mit finalement de côté et commença à rouler son paquetage. Il s'interrompit pour examiner le sac en peau d'élan. Il le saisit brusquement en jetant autour de lui un regard de défi, comme si la solitude environnante essayait de le lui voler. Et quand il se remit sur pied pour reprendre sa marche titubante, le sac faisait partie du paquetage sur son dos.

Il infléchit sa progression vers la gauche, s'arrêtant de temps en temps pour manger des baies des marais. Sa cheville était devenue raide et il boitait davantage mais la douleur ainsi causée n'était rien à côté des affres de la faim. Il ressentait de violents tiraillements d'estomac qui le tenaillaient au point qu'il ne pouvait se concentrer sur l'itinéraire qu'il devait suivre pour atteindre la région des petits bâtons. Les baies des marais ne le calmaient pas et irritaient sa langue et son palais de leur morsure âcre.

Il arriva à une vallée où des perdrix des neiges s'envolèrent des saillies rocheuses et des monticules végétaux où elles s'étaient posées, en poussant leur « ker, ker, ker ». Il leur lança des pierres sans pouvoir les atteindre. Il posa son paquetage et les traqua comme le chat traque le moineau. Les arêtes rocheuses lui déchiraient les genoux à travers son pantalon et il laissait derrière lui une traînée sanglante ; il sentait à peine la douleur tant il souffrait de la faim. Il rampait sur la mousse humide, détrempant ses vêtements et se glaçant les membres mais il ne s'en rendait pas compte, dans son acharnement à se procurer de la nourriture.

---

8. **pang** : angoisse, tourment, douleur. **The pangs of death,** les affres de la mort.

9. **to gnaw** [nɔ:] : ronger.

10. **to allay** : apaiser, modérer, calmer, soulager (une douleur, une inquiétude, etc.).

11. **while** : m. à m. alors que.

12. **rock ptarmigan** ['ta:rmigən] : ainsi appelés parce que les rochers sont l'habitat de cette espèce.

13. **to whir(r)** : 1) tourner à toute vitesse (machine) ; 2) émettre un ronflement, un vombrissement, un bruissement. **The whir(ring) of a fan,** le ronflement d'un ventilateur.

14. **to stalk** [stɔ:k] : 1) marcher à grandes enjambées ; 2) traquer. Le **l** n'est pas prononcé (cf. **to talk, to walk**).

15. **blood :** △ pron. [blʌd].

16. **to squirm** : se tordre, se tortiller (comme un ver).

And always the ptarmigan [1] rose, whirring, before him, till their "Ker‒ker‒ker" became a mock to him, and he cursed [2] them and cried aloud at [3] them with their own cry.

Once he crawled upon one that must have been [4] asleep. He did not see it till it shot up [5] in his face from its rocky nook. He made a clutch [6] as startled as was the rise of the ptarmigan, and there remained in his hand three tail feathers. As he watched its flight he hated it, as though it had done him some terrible wrong. Then he returned and shouldered his pack.

As the day wore along [7] he came into valleys or swales where game was more plentiful. A band of caribou passed by, twenty and odd animals [8], tantalizingly [9] within rifle range. He felt a wild desire to run after them, a certitude that he could run them down. A black fox came toward him, carrying a ptarmigan in his mouth. The man shouted. It was a fearful cry, but the fox, leaping away in fright, did not drop the ptarmigan.

Late in the afternoon he followed a stream, milky with lime, which ran through sparse [10] patches [11] of rush grass. Grasping these rushes firmly near the root, he pulled up what resembled a young onion sprout [12] no larger than a shingle nail [13]. It was tender, and his teeth sank into it with a crunch that promised deliciously of food. But its fibers were tough [14]. It was composed of stringy [15] filaments saturated with water, like the berries, and devoid of nourishment.

---

1. **ptarmigan :** notez l'absence de la marque du pluriel. Fréquent avec les noms d'animaux.
2. **to curse :** *maudire.* **Curse :** 1) *malédiction, fléau ;* 2) *juron, imprécation.*
3. **at :** indique l'hostilité. Différence avec **to cry to somebody,** *crier à quelqu'un pour se faire entendre.*
4. **must have been :** le prétérit du défectif **must** étant d'un emploi exceptionnel, la marque du passé est portée par l'infinitif sans **to** qui suit (**have been** au lieu de **have**).
5. **to shoot :** indique un mouvement rapide.
6. **clutch :** *action d'agripper, de saisir.* **To clutch,** *étreindre, empoigner, saisir.*
7. **wore along : to wear, wore, worn,** *porter, user.* **To wear well,** *bien supporter le passage du temps.*
8. **twenty and odd :** *vingt et quelques* (forme vieillie). En anglais

Et les perdrix continuaient à s'envoler devant lui, ailes frémissantes, leur « ker, ker, ker » semblant prendre des accents moqueurs. Il les injuria et leur renvoya leur propre cri.

Dans sa reptation, il faillit en écraser une qui devait somnoler. Il ne la vit que quand elle lui jaillit au visage de son recoin rocheux. Il essaya de la saisir d'un geste aussi affolé que l'envol de l'oiseau. Mais il ne lui resta dans la main que trois plumes de la queue de la perdrix. En la regardant s'envoler il la haïssait, comme si elle lui avait fait un mal irréparable. Puis il retourna à son paquetage qu'il chargea sur son dos.

A mesure que la journée avançait, il rencontra des vallées ou des dépressions où le gibier était plus abondant. Un troupeau de caribous passa, vingt et quelques bêtes, à portée de fusil comme pour le provoquer. Il ressentit un désir violent de se lancer à leur poursuite, convaincu de pouvoir les rattraper. Un renard noir vint vers lui, une perdrix dans la gueule. L'homme cria. C'était un cri effrayant, mais le renard, bondissant de terreur, ne lâcha pas l'oiseau. Tard dans l'après-midi il suivit un ruisseau dont les eaux rendues laiteuses par le calcaire couraient entre de maigres touffes d'herbe des marais. Saisissant fermement ces herbes près de la racine, il arracha ce qui ressemblait à un jeune oignon, pas plus gros qu'une tête de clou. C'était tendre, et ses dents s'y enfoncèrent avec un craquement annonciateur des délices de la nourriture. Mais l'oignon était coriace. Il était formé de filaments fibreux saturés d'eau, comme les baies, et sans valeur nutritive.

---

moderne, **twenty-odd animals** ou **an odd-twenty animals**, avec le sens d'*environ*. **Odd**, 1) *bizarre* ; 2) *impair*.

9. **to tantalize** : *faire subir le supplice de Tantale, tourmenter, torturer, mettre au supplice.*

10. **sparse** [spɑːrs] : *clairsemé, peu dense.*

11. **patch** : *parcelle* (de terrain) ; *tache* (de couleur) ; *pièce* (pour raccommoder).

12. **sprout** : *pousse, bourgeon, rejet.* **Brussels sprouts**, *choux de Bruxelles.*

13. **shingle** : 1) *galet* ; 2) *bardeau* (couverture de toit). **Shingle nail** : *petit clou galvanisé* pour fixer les bardeaux.

14. **tough** [tʌf] : *dur, tenace, résistant.*

15. **stringy** ['striŋi] : *fibreux, filandreux, filamenteux.*

He threw off his pack and went into the rush grass on hands and knees, crunching [1] and munching, like some bovine creature [2].

He was very weary and often wished to rest – to lie down and sleep; but he was continually driven on, not so much by his desire to gain the land of little sticks as by his hunger. He searched little ponds [3] for frogs and dug [4] up the earth with his nails for worms, though he knew in spite [5] that neither frogs nor worms existed so far north.

He looked into every pool [6] of water vainly, until, as the long twilight came on, he discovered a solitary fish, the size of a minnow, in such a pool. He plunged his arm in up to the shoulder, but it eluded him. He reached for it with both hands and stirred up [7] the milky mud at the bottom. In his excitement he fell in, wetting himself to the waist. Then the water was too muddy [8] to admit of [9] his seeing the fish, and he was compelled to wait until the sediment had settled.

The pursuit [10] was renewed, till the water was again muddied. But he could not wait. He unstrapped the tin bucket and began to bail [11] the pool. He bailed wildly at first, splashing himself and flinging [12] the water so short a distance that it ran back into the pool. He worked more carefully, striving to be cool, though his heart was pounding against his chest and his hands were trembling. At the end of half an hour the pool was nearly dry. Not a cupful of water remained.

---

1. **to crunch :** *broyer, croquer, écraser* (en général avec les dents ou sous les pieds).

2. **creature :** signifie souvent, comme ici, un *être d'aspect étrange et inhabituel*.

3. **pond :** *étang, mare.* Usually smaller than a lake and larger than a pool.

4. **dug :** prétérit de **to dig, dug, dug**.

5. **spite :** *dépit, amertume, rancune, animosité, méchanceté.*

6. **pool :** *étendue d'eau* de taille variable, mais souvent plus petite que **pond** ; signifie aussi *flaque* ; **swimming pool**, *piscine*.

7. **to stir :** 1) *remuer, bouger* ; 2) *agiter* ; 3) *émouvoir, exciter*. **To stir up :** *remuer, agiter, exciter, susciter, faire naître* ; **to stir up trouble**, *déclencher des troubles*.

8. **muddy :** *boueux*.

9. **to admit of : to admit** a une construction directe quand il signifie

Il se défit de son paquetage et se mit à quatre pattes dans l'herbe, broutant et mâchonnant comme une sorte de bovidé.

Il était très las et ressentit maintes fois l'envie de se reposer, de s'allonger pour dormir. Mais quelque chose le poussait sans cesse à aller de l'avant, non pas tant son désir d'atteindre la région des petits bâtons que sa faim. Il essaya de trouver des grenouilles dans de petites mares et creusa la terre avec ses ongles pour attraper des vers, malgré l'amère certitude qu'il n'y avait ni grenouilles ni vers, si loin au nord.

Il chercha en vain dans tous les trous d'eau pour découvrir enfin dans l'un d'eux, alors que le long crépuscule s'installait, un poisson solitaire de la taille d'un vairon. Il plongea le bras jusqu'à l'épaule mais le poisson lui échappa. Il essaya de le prendre en utilisant les deux mains, et troubla l'eau en remuant la boue laiteuse déposée au fond. Dans son excitation il bascula dans le trou et fut trempé jusqu'à la taille. L'eau était devenue trop opaque pour qu'il puisse voir le poisson, et il fut contraint d'attendre que la boue en suspension se déposât.

Il renouvela sa tentative jusqu'à ce que l'eau fût à nouveau trouble. Mais il ne put attendre. Il détacha le seau en fer blanc et commença à vider le trou. Au début, il écopait furieusement, s'éclaboussant et jetant l'eau si près qu'elle retombait dans la cuvette. Il se mit à s'appliquer, essayant de rester calme, mais son cœur martelait sa poitrine et ses mains tremblaient. Au bout d'une demi-heure, la cuvette était presque à sec. Il n'y restait pas une tasse d'eau.

---

admettre, reconnaître, accepter, laisser entrer. **I have to admit my mistake,** je dois reconnaître ma faute. Au sens de comporter, tolérer, laisser place à, rendre possible, il se construit avec **of** : **the problem admits of several solutions,** le problème laisse place à plusieurs solutions.
10. **pursuit :** 1) visée, préoccupation, recherche, carrière. **Intellectual pursuits,** préoccupations intellectuelles, domaines intellectuels auxquels on s'intéresse ; 2) poursuite. Les deux sens se cumulent ici.
11. **to bail :** écoper, vider l'eau d'un bateau avec une écope (sorte de pelle ou seau).
12. **to fling, flung, flung :** (se) jeter ; **to fling oneself into someone's arms,** se jeter dans les bras de quelqu'un.

And there was nos fish. He found a hidden crevice [1] among the stones through which it had escaped to the adjoining and larger pool – a pool which he could not empty in a night and a day. Had he known of the crevice, he could have closed it with a rock at the beginning and the fish would have been his.

Thus he thought, and crumpled [2] up and sank [3] down upon the wet earth. At first he cried softly to himself, then he cried loudly to the pitiless desolation that ringed [4] him around; and for a long time after he was shaken by great dry sobs.

He built a fire and warmed himself by drinking quarts [5] of hot water, and made camp on a rocky ledge in the same fashion he had the night before. The last thing he did was to see that his matches were dry and to wind his watch. The blankets were wet and clammy [6]. His ankle pulsed [7] with pain. But he knew only that he was hungry, and through his restless sleep he dreamed of feasts and banquets and of food served and spread [8] in all imaginable ways.

He awoke chilled and sick. There was no sun. The gray of earth and sky had become deeper, more profound [9]. A raw [10] wind was blowing, and the first flurries [11] of snow were whitening the hilltops. The air about him thickened and grew white while he made a fire and boiled more water. It was wet snow, half rain, and the flakes were large and soggy. At first they melted as soon as they came in contact with the earth, but ever more fell, covering the ground, putting out the fire, spoiling [12] his supply of moss fuel [13].

---

1. **crevice :** Δ pron. ['krevis], *fissure, lézarde, fente, crevasse.*
2. **to crumple up :** 1) *se froisser, se chiffonner* ; 2) *s'effondrer.* Indique souvent un effondrement moral.
3. **to sink down :** *s'effondrer, s'affaisser, s'affaler, se laisser tomber.*
4. **to ring :** verbe formé sur **a ring,** *un cercle, un rond, un anneau, une bague.*
5. **quart :** mesure liquide : (G.B.) 1,136 l, (U.S.) 0,946 l.
6. **clammy :** 1) *gluant, collant* ; 2) *froid et humide, froid et moite* ; **clammy hands,** *mains moites.*
7. **to pulse :** *avoir des pulsations, battre, palpiter* ; **the pulse,** *le pouls.*
8. **to spread, spread, spread :** *(s')étendre, (s')étaler* ; **to spread the table,** *mettre la table, le couvert.* Avait anciennement le sens de servir : **to spread tea, supper,** *servir le thé, le souper.*

Et pas de poisson. Il découvrit une fissure cachée parmi les pierres par laquelle il s'était échappé pour gagner la mare voisine, plus grande, qu'il n'aurait pas pu vider en un jour et une nuit. S'il avait connu l'existence de ce passage, il aurait pu le boucher avec une pierre dès le début et le poisson aurait été à lui.

Ainsi pensait-il, accablé, en s'effondrant sur la terre humide. Il se mit à verser des larmes silencieuses puis à pleurer bruyamment devant la désolation implacable qui l'entourait de toute part. Et il resta longtemps secoué de gros sanglots, larmes taries.

Il construisit un feu, se réchauffa en buvant des litres d'eau chaude, et établit son campement sur une saillie rocheuse de la même façon que la nuit précédente. Ses derniers gestes furent de s'assurer que ses allumettes étaient sèches et de remonter sa montre. Les couvertures étaient froides et gluantes d'humidité. Sa cheville gonflée l'élançait. Mais c'est la faim qui l'obsédait, et, dans son sommeil agité, il rêva de festins et de banquets, de nourriture servie et présentée de toutes les façons imaginables.

Il se réveilla avec la nausée, frissonnant de froid. On ne voyait pas le soleil. Le gris de la terre et du ciel était devenu plus profond, plus immuable. Un vent âpre soufflait, et les premières rafales de neige blanchissaient le sommet des collines. Autour de lui, l'air se chargeait de blancheur tandis qu'il s'occupait du feu et faisait bouillir davantage d'eau. C'était de la neige humide, presque de la pluie, avec de gros flocons mouillés. Au début, ils fondaient dès qu'ils touchaient terre, mais il en tombait toujours plus, recouvrant le sol, éteignant son feu, détrempant sa provision de mousse sèche.

---

9. **profound** : comme la plupart des mots d'origine latine, est plus abstrait ou littéraire que le mot saxon **deep**, plus concret et mesurable. Indique la profondeur intellectuelle, l'accès à des domaines de connaissance complexes et difficiles à sonder, s'oppose à ce qui est superficiel.
10. **raw** : appliqué au temps, au vent, prend le sens de *âpre, aigre, mordant.*
11. **flurry** : *grain, risée ; rafale de vent, de pluie, de neige.* **To be in a flurry,** *être tout agité, tout en émoi.*
12. **to spoil** : *gâcher, gâter, abîmer, altérer, avarier.*
13. **fuel** : *combustible.* S'applique au bois comme au charbon, à l'essence, etc. *Fioule* **(fuel)** = **fuel-oil** ; **to fuel** : *alimenter, nourrir* (en combustible).

This was a signal for him to strap on[1] his pack and stumble onward[2], he knew not where[3]. He was not concerned with the land of little sticks, nor with Bill and the cache under the upturned canoe by the river Dease. He was mastered by the verb "to eat". He was hunger-mad. He took no heed[4] of the course he pursued, so long as that course led him through the swale[5] bottoms. He felt his way[6] through the wet snow to the watery muskeg berries, and went by feel as he pulled up the rush grass by the roots. But it was tasteless stuff and did not satisfy. He found a weed[7] that tasted sour[8] and he ate all he could find of it, which was not much, for it was a creeping growth[9], easily hidden under the several inches[10] of snow.

He had no fire that night, nor hot water, and crawled under his blanket to sleep the broken hunger sleep. The snow turned into a cold rain. He awakened many times to feel it falling on his upturned face. Day came – a gray day and no sun. It had ceased raining. The keenness[11] of his hunger had departed. Sensibility, as far as concerned the yearning for food, had been exhausted. There was a dull, heavy ache in his stomach, but it did not bother him so much. He was more rational, and once more he was chiefly interested in[12] the land of little sticks and the cache by the river Dease.

He ripped the remnant of one of his blankets into strips and bound his bleeding[13] feet. Also[14] he recinched[15] the injured ankle and prepared himself for a day of travel.

---

1. **to strap on** : la postposition **on** indique l'action principale (*porter sur lui*), **to strap** indique la manière (*à l'aide de courroies*).
2. **to stumble onward** : idem ; **onward** indique la continuation vers l'avant. **To stumble** (*trébucher*) indique comment.
3. **he knew not where** : construction littéraire, qui met en relief l'aspect négatif.
4. **heed** : *attention, soin*. To pay, give, **heed** to, *prêter attention à*. To take **heed** of, *se soucier de*. **To heed** : *faire attention à, tenir compte de, prendre garde à*.
5. **swale** : *vallée marécageuse* ; **bottom** : *fond*.
6. **he felt his way** : cf. to elbow one's way, *se frayer un chemin à coups de coudes*, to fight one's way, *en se battant*, etc.
7. **weed** : (*mauvaise*) *herbe*. **To weed** : *désherber*.
8. **sour** : *aigre, acide*, (*personne*) *revêche, acariâtre*. **To turn sour** : *s'aigrir, tourner* (*nourriture*).

Cela le décida à se réharnacher et à reprendre sa marche titubante, sans bien savoir où il allait. Il ne pensait plus à la région des petits bâtons, ni à Bill et à la cache sous le canoë renversé près de la rivière Dease. Il était possédé par le verbe « manger ». La faim le rendait fou. Il ne s'attachait pas à une direction particulière, pourvu que son chemin le conduisît aux dépressions marécageuses. Il avançait au jugé dans la neige humide à la recherche des baies aqueuses et, à tâtons, arrachait des herbes des marais en tirant sur leurs racines. Mais elles étaient insipides et le laissaient sur sa faim. Il fit la découverte d'une plante au goût aigre et mangea toutes celles qu'il put trouver, ce qui était peu, car c'était une espèce rampante, facilement cachée sous la neige épaisse de plusieurs centimètres.

Cette nuit-là il n'eut ni feu ni eau chaude et se traîna sous sa couverture pour dormir d'un sommeil troublé par la faim. La neige se transforma en pluie glacée. Il s'éveilla à maintes reprises, la sentant tomber sur son visage tourné vers le ciel. Vint le jour, gris, sans soleil. La pluie avait cessé. Il ne ressentait plus sa faim avec autant d'acuité. Sa perception de son désir de nourriture s'était émoussée. Une douleur sourde lui pesait sur l'estomac mais cela le tourmentait moins. Il avait recouvré ses esprits, et se préoccupait à nouveau de la région des petits bâtons et de la cache près de la rivière Dease.

Il déchira les restes d'une de ses couvertures pour en faire des rubans dont il entoura ses pieds à vif. Il resserra le bandage autour de sa cheville blessée et se prépara à une journée de marche.

---

9. **growth** : *croissance* ; (ici) *pousse, végétation*.
10. **inch** : *pouce* = 2,54 cm.
11. **keenness** : nom formé d'adj. + **ness**. Cf. **darkness, openness**, etc. **Keen** : *aigu, vif*. **To be keen on something** : *aimer beaucoup quelque chose*.
12. **interested in the land** : notez l'emploi de la préposition **in**. Et non **by**, faute classique des Français.
13. **bleeding** : to bleed, *saigner*.
14. **also** : placé en tête de phrase, a le sens de *de plus, en plus, également, par ailleurs*. Mais au sens habituel d'*aussi*, il se place normalement entre le sujet et le verbe ou entre l'auxiliaire et le verbe.
15. **to recinch** : de **to cinch**, *sangler un cheval* ; **cinch** : *sangle, sous-ventrière*.

When he came to his pack he paused long over the squat moose-hide sack, but in the end it went with him[1].

The snow had melted under the rain, and only the hilltops showed white. The sun came out, and he succeeded in locating the points of the compass[2], though he knew now that he was lost. Perhaps, in his previous days' wanderings[3], he had edged away[4] too far to the left. He now bore off to the right to counteract the possible deviation from his true course.

Though the hunger pangs were no longer so exquisite[5], he realized that he was weak. He was compelled to pause for frequent rests, when he attacked the muskeg berries and rush-grass patches. His tongue felt dry and large, as though covered with a fine hairy growth, and it tasted bitter in his mouth. His heart[6] gave him a great deal of trouble. When he had traveled a few minutes it would begin[7] a remorseless[8] thump, thump, thump[9], and then leap up and away in a painful flutter[10] of beats that choked[11] him and made him go faint and dizzy.

In the middle of the day he found two minnows in a large pool. It was impossible to bail it, but he was calmer[12] now and managed to catch them in his tin bucket. They were no longer than his little finger, but he was not particularly hungry. The dull ache in his stomach had been growing duller and fainter[13]. It seemed almost that his stomach was dozing[14]. He ate the fish[15] raw, masticating with painstaking[16] care, for the eating was an act of pure reason.

---

1. **it went with him** : m. à m. *il alla avec lui.*
2. **compass** : *boussole.*
3. **his previous day's wanderings** : cas possessif de temps. Cf. Today's newspaper : *le journal d'aujourd'hui.*
4. **to edge away : to edge,** 1) *border* ; 2) (ici) *se déplacer graduellement.* La postposition ou préposition utilisée indiquera la direction : **to edge up, through,** etc.
5. **exquisite** : 1) *exquis, subtil, délicat* ; 2) (ici) *très vif, atroce, raffiné* (supplice).
6. **heart** : △ pron. [ha:rt].
7. **it would begin** : au passé **would** indique la répétition ou l'habitude. He would visit her everyday, *il lui rendait visite tous les jours.*
8. **remorseless** : *sans remords,* d'où *sans pitié, impitoyable.*
9. **thump** : *coup sourd.* To thump, *produire un bruit sourd, battre à grands coups ; frapper à grands coups.*

Au moment de refaire son paquetage, il hésita longtemps devant le sac trapu en peau d'élan, mais décida finalement de l'emporter.

La pluie avait fait fondre la neige, il ne restait de blanc que le sommet des collines. Le soleil parut, et l'homme réussit à repérer les points cardinaux, tout en sachant maintenant qu'il s'était perdu. Peut-être, au cours de ses errances des jours précédents, s'était-il trop éloigné vers la gauche. Il appuya donc vers la droite, pour corriger l'écart possible par rapport à la bonne direction.

Bien que les affres de la faim ne fussent plus si aiguës, il comprit qu'il était très affaibli. Il devait faire des arrêts fréquents, pendant lesquels il s'attaquait aux baies et aux touffes d'herbe des marais. Sa langue lui semblait sèche et volumineuse, comme couverte d'une toison de poils fins, et lui donnait un goût amer dans la bouche. Son cœur le gênait considérablement : au bout de quelques minutes de marche, il se mettait à battre à grands coups pour s'emballer ensuite en palpitations douloureuses qui le faisaient suffoquer et le laissaient faible et en proie au vertige.

Au milieu de la journée il trouva deux vairons dans une grande cavité. Il était impossible de la vider, mais il était maintenant plus calme et il réussit à les prendre avec son seau métallique. Ils n'étaient pas plus longs que son petit doigt, mais il n'était pas particulièrement affamé. La douleur sourde de son estomac s'était progressivement émoussée. C'était presque comme si son estomac s'était assoupi. Il mangea les poissons crus, en mastiquant consciencieusement, car les manger était un acte de pure rationalité.

---

10. **flutter** : *émoi, tressaillement, frémissement*. Désigne souvent un mouvement d'ailes ou, comme ici, des palpitations. Verbe **to flutter**.

11. **to choke** : *étouffer*.

12. **calm** : △ pron. [ka:m]. **l** non prononcé. Cf. **palm**, *paume*, **palmier**, **balm**, *baume*.

13. **duller and fainter** : m. à m. *plus sourde et plus faible*. **Dull** : 1) *sourd, émoussé* ; 2) *morne, ennuyeux* ; 3) *peu brillant, obtus, à l'esprit lent*.

14. **to doze** : *somnoler*. **To doze off**, *s'assoupir*.

15. **the fish** : le pluriel **fishes** existe mais n'est que rarement employé.

16. **painstaking** : *soigneux, appliqué, assidu*.

While [1] he had no desire to eat, he knew that he must eat to live.

In the evening he caught three more minnows, eating two and saving [2] the third for breakfast. The sun had dried stray [3] shreds of moss, and he was able to warm himself with hot water. He had not covered more than ten miles that day; and the next day, traveling whenever [4] his heart permitted him, he covered no more than five miles. But his stomach did not give him the slightest uneasiness. It had gone to sleep. He was in a strange [5] country, too [6], and the caribou were growing more plentiful, also the wolves. Often their yelps drifted [7] across the desolation, and once he saw three of them slinking [8] away before his path [9].

Another night; and in the morning, being more rational, he untied the leather string that fastened [10] the squat moose-hide sack. From its open mouth poured a yellow stream of coarse [11] gold dust and nuggets. He roughly divided the gold in halves, caching one half on a prominent [12] ledge, wrapped in a piece of blanket, and returning the other half to the sack. He also began to use strips of the one remaining blanket for his feet. He still clung [13] to his gun, for there were cartridges in that cache by the river Dease.

This was a day of fog, and this day hunger awoke in him again. He was very weak and was afflicted with a giddiness which at times blinded him. It was no uncommon thing [14] now for him to stumble and fall; and stumbling once, he fell squarely [15] into a ptarmigan nest.

---

1. **while** : 1) *pendant que, tandis que* ; 2) *tant que, aussi longtemps que* ; 3) (sens concessif, comme ici) *quoique, bien que.*

2. **to save** : 1) *sauver* ; 2) *économiser, mettre de côté, épargner.*

3. **stray** : *égaré, isolé, qui s'est détaché, errant* (animal). **To stray**, *s'égarer, s'écarter* (du chemin, du troupeau).

4. **whenever** : *chaque fois que.* Cf. **wherever**, *partout où.*

5. **strange** : △ pron. [streindʒ]. Cumule ici le sens (ancien) d'*étranger* et celui d'*étrange.*

6. **too** : *par ailleurs, de plus.*

7. **to drift** : *dériver, aller au hasard, être porté, emporté* (par le courant, le vent).

8. **to slink, slunk, slunk** : *se mouvoir furtivement.* La pré- ou postposition qui suit indique la direction (**in, out**, etc.).

9. **path** [pa:θ], (U.S.) [pæθ] : *chemin, route suivie.* Attention à la

Bien qu'il n'en ressentît pas le désir, il savait qu'il lui fallait se nourrir pour survivre.

Dans la soirée, il captura trois autres vairons ; il en mangea deux et garda le troisième pour son petit déjeuner. Le soleil avait séché des fragments de mousse épars et il put se réchauffer en buvant de l'eau chaude. Il n'avait pas parcouru plus de quinze kilomètres ce jour-là ; et le lendemain, en voyageant autant que son cœur le permettait, il ne couvrit pas plus de huit kilomètres. Mais son estomac ne lui causait pas la moindre gêne, il s'était totalement engourdi. Il se trouvait maintenant dans une région inconnue, et les caribous y étaient plus nombreux, ainsi que les loups, dont les glapissements déchiraient fréquemment le silence désertique : une fois, il en vit trois détaler devant lui.

Une nuit de plus. Au matin, l'esprit plus clair, il défit le lien de cuir qui fermait le sac trapu en peau d'élan. Par l'ouverture béante s'écoula un flot scintillant de poussière d'or et de pépites à l'état natif. Il divisa grossièrement l'or en deux tas, en mit un en sûreté, enveloppé dans un morceau de couverture, sur une saillie rocheuse, et remit l'autre dans le sac. Il commença aussi à tailler des bandes dans sa dernière couverture pour protéger ses pieds. Il n'abandonna pas son fusil, à cause des cartouches cachées près de la rivière Dease.

C'était un jour de brouillard. La faim se réveilla en lui ; il se sentait faible et avait des étourdissements qui parfois l'aveuglaient. Il n'était pas rare maintenant qu'il trébuche et tombe à terre ; une fois, il s'abattit en plein sur un nid de perdrix des neiges.

---

prononciation du pluriel [pa:ðz], (U.S.) [pæðz]. Cf. **a youth** [yu:θ], *un jeune*, **youths** [yu:ðz], *des jeunes*.
10. **to fasten** : *attacher, fixer.* Vient de **fast**, au sens de *ferme*, mais le **s** n'est pas prononcé ['fa:sn], (U.S.) ['fæsn].
11. **coarse :** 1) *grossier, vulgaire* ; 2) *brut.*
12. **prominent :** *proéminent, en relief* ; *éminent, en vue* (pers.).
13. **to cling, clung, clung :** *s'accrocher à, se cramponner à.*
14. **no uncommon thing :** plus fort que **not an uncommon thing** (**no :** *en rien*).
15. **squarely :** *carrément.*

There were four newly hatched [1] chicks, a day old
– little specks [2] of pulsating life no more than a mouthful;
and he ate them ravenously [3], thrusting them alive into his
mouth and crunching them like eggshells between his
teeth. The mother ptarmigan beat about him with great
outcry [4]. He used his gun as a club with which to knock
her [5] over, but she dodged out of reach [6]. He threw stones at her and with one chance [7] shot broke a wing. Then
she fluttered [8] away, running, trailing the broken wing,
with him in pursuit.

The little chicks had no more than whetted his appetite.
He hopped and bobbed [9] clumsily along on his injured
ankle, throwing stones and screaming hoarsely at times;
at other times hopping and bobbing silently along, picking
himself up grimly [10] and patiently when he fell, or rubbing
his eyes with his hand when the giddiness threatened to
overpower him.

The chase [11] led him across swampy ground in the bottom of the valley, and he came upon footprints in the soggy
moss. They were not his own – he could see that. They
must be Bill's [12]. But he could not stop, for the mother
ptarmigan was runnning on. He would catch her first, then
he would return and investigate.

He exhausted the mother ptarmigan; but he exhausted
himself. She lay [13] panting on her side. He lay panting on
his side, a dozen feet [14] away, unable to crawl to her. And
as he recovered she recovered, fluttering out of reach [15]
as his hungry hand went out to her.

---

1. **to hatch** : 1) *couver* ; 2) *éclore*.
2. **speck** : *point, petite tache, grain* (de poussière).
3. **ravenous** ['rævənəs] : *vorace, glouton, affamé*. De **raven** △
['reivn] *corbeau*.
4. **outcry** : *cri d'indignation, de réprobation, tollé*.
5. **her** : l'oiseau est personnifié. C'est assez fréquent, et d'autant
plus normal ici qu'il s'agit de la femelle dans son rôle de mère.
6. **to dodge** : *esquiver, éviter, éluder*. **To dodge a blow,** *esquiver un coup*. **To dodge an issue,** *éluder une question*. **Tax-dodger,**
fraudeur fiscal.
7. **chance** [tʃɑ:ns], (U.S.) [tʃæns] : en position d'adjectif signifie *fortuit, accidentel, de hasard*.
8. **to flutter** : *battre des ailes, voleter*.
9. **to bob** : *se mouvoir de haut en bas* (par exemple bouchon dansant sur l'eau). **To hop** : *sautiller, aller à cloche-pied*.

Il s'y trouvait quatre oisillons éclos de la veille, petites boules de vié palpitante, à peine une bouchée. Il les dévora goulûment, les fourrant tout vivants dans sa bouche et les broyant entre ses dents comme des coquilles d'œufs. La mère perdrix voltigeait autour de lui en poussant des piaillements indignés. Il utilisa son fusil comme une massue pour essayer de l'assommer mais elle réussit à lui échapper. Il lui jeta des pierres et, d'un coup heureux, lui brisa une aile. Elle s'enfuit en sautillant, traînant son aile blessée, et il se mit à la poursuivre.

Les oisillons n'avaient fait qu'aiguiser son appétit. Il progressait en sautillant maladroitement sur sa cheville blessée, jetant des pierres et poussant par instants des cris gutturaux ; à d'autres moments il sautillait en silence, se relevant avec une patience farouche quand il tombait, ou se frottant les yeux lorsqu'il était sur le point de succomber au vertige.

La poursuite l'amena à traverser un terrain marécageux au fond de la vallée, et il découvrit des empreintes de pas sur la mousse spongieuse. Ce n'était visiblement pas les siennes. Ce devait être celles de Bill. Mais il ne put s'arrêter car la perdrix poursuivait sa course. Il l'attraperait d'abord, puis il reviendrait les examiner.

Il épuisa la perdrix. Mais il s'épuisa aussi. Elle gisait sur le flanc, pantelante ; il haletait, sur le flanc, à quelques mètres, incapable de ramper jusqu'à elle. Quand il reprit des forces, elle fit de même, et se traîna hors de portée de la main avide qui essayait de l'atteindre.

---

10. **grimly** : adv. formé sur **grim**, *sinistre, sévère, menaçant, inflexible.*
11. **chase** : △ pron. [tʃeis] ; **s** et non **z**.
12. **Bill's** : pour **Bill's footprints.**
13. **lay** : **to lie, lay, lain**, *être étendu.*
14. **a dozen feet** : précédé d'un chiffre, **dozen**, en position d'adjectif, est invariable : **two dozen cars**, *deux douzaines de voitures.* Comme nom, prend la marque du pluriel : **dozens of cars**, *des douzaines de voitures.*
15. **fluttering out of reach** : *se mettant hors de portée en voletant.* **Out of reach**, *hors d'atteinte*, joue ici le même rôle qu'une postposition, en indiquant le résultat de l'action. Le verbe **(to flutter)** indique la manière.

The chase was resumed. Night settled down[1] and she escaped. He stumbled from weakness and pitched[2] head foremost on his face, cutting his cheek, his pack upon his back. He did not move for a long while; then he rolled over on his side, wound his watch, and lay there until morning.

Another day of fog. Half of his last blanket had gone into foot-wrappings. He failed[3] to pick up Bill's trail. It did not matter. His hunger was driving[4] him too compellingly[5] — only — only he wondered if Bill, too, were lost. By midday[6] the irk[7] of his pack became too oppressive[8]. Again he divided the gold, this time merely[9] spilling[10] half of it on the ground. In the afternoon he threw the rest of it away, there remaining to him only the half blanket, the tin bucket, and the rifle.

A hallucination began to trouble him. He felt confident that one cartridge remained to him. It was in the chamber of the rifle and he had overlooked[11] it. On the other hand[12], he knew all the time that the chamber was empty. But the hallucination persisted. He fought it off for hours, then threw his rifle open[13] and was confronted with emptiness. The disappointment was as bitter as though he had really expected to find the cartridge.

He plodded[14] on for half an hour, when the hallucination arose again. Again he fought it, and still it persisted, till for very relief[15] he opened his rifle to unconvince[16] himself.

---

1. **to settle down** : s'installer.
2. **to pitch** : s'incliner, plonger du nez, tanguer (navire).
3. **to fail** : ne pas se produire, manquer, échouer.
4. **to drive** : pousser, faire aller devant soi.
5. **compellingly** : irrésistiblement ; formé sur le participe présent de **to compel**, forcer, obliger.
6. **by midday** : **by** indique un moment en tenant compte de la période qui précède. Ex : **he must have arrived by now**, il doit être arrivé maintenant. **It'll be ready by the end of the month**, ça sera prêt à la fin du mois.
7. **irk** : caractère pénible, ennuyeux. **To irk** : irriter.
8. **oppressive** : accablant ; oppressif.
9. **merely** : de **mere**, simple, pur, seul.
10. **to spill** : (se) renverser, (se) répandre, (se) déverser.

La poursuite reprit. La nuit tomba et l'oiseau s'échappa. L'homme titubait de faiblesse et tomba par terre tête la première, se coupant la joue, son paquetage lui pesant sur le dos. Il se tint immobile un long moment, puis se retourna sur le côté, remonta sa montre, et resta étendu là jusqu'au matin.

Encore une journée de brouillard. Une moitié de sa dernière couverture avait déjà servi à faire des bandes pour ses pieds. Il ne retrouva pas la piste de Bill. Ça n'avait pas d'importance. Sa faim le dominait trop implacablement. Et pourtant, pourtant il se demanda si Bill s'était perdu lui aussi. A midi, le poids de son paquetage était devenu insupportable. Il divisa à nouveau l'or, se contentant cette fois d'en répandre la moitié sur le sol. L'après-midi il se débarrassa de ce qui en restait, ne gardant que la moitié de couverture, la casserole en fer-blanc et le fusil.

Une hallucination commença à l'obséder. Il était persuadé qu'il lui restait une cartouche. Elle était dans la chambre du fusil où il l'avait oubliée. En même temps, il savait parfaitement que la chambre était vide. Mais l'hallucination persistait. Il lutta contre elle pendant des heures, avant de regarder à l'intérieur du fusil pour n'y trouver que du vide. Sa déception fut aussi amère que s'il s'était vraiment attendu à y voir la cartouche.

Il continua sa marche pénible pendant une demi-heure, au bout de laquelle l'hallucination reprit. Il la combattit à nouveau, mais elle persista jusqu'à ce qu'il ouvrît le fusil pour en finir avec l'illusion.

---

11. **to overlook :** 1) *négliger, ne pas tenir compte de, laisser passer* (erreur) ; 2) *superviser, surveiller* ; 3) *avoir vue sur*.

12. **on the other hand :** *d'autre part*. Souvent symétrique du premier membre **on the one hand**.

13. **to throw open :** *ouvrir d'un geste vif*. Autre sens : *ouvrir à tous* (concours etc.).

14. **to plod :** 1) *marcher lourdement, d'un pas pesant* ; 2) *travailler péniblement*. **A plodder**, un *bûcheur*.

15. **for very relief :** *par pur désir de soulagement*. Cf. **this very evening,** *ce soir même* ; **he is the very man we want,** *c'est exactement l'homme qu'il nous faut*.

16. **to unconvince :** *rare comme verbe, mais plus fréquent comme participe passé*. **Unconvinced,** non convaincu, sceptique.

At times his mind wandered farther afield [1], and he plodded on, a mere automaton, strange conceits [2] and whimsicalities [3] gnawing at his brain like worms [4]. But these excursions out of the real were of brief duration, for ever the pangs of the hunger bite called him back. He was jerked [5] back abruptly once from such an excursion by a sight that caused him nearly to faint. He reeled [6] and swayed [7], doddering [8] like a drunken man to keep from falling. Before him stood a horse. A horse! He could not believe his eyes. A thick mist was in them, intershot [9] with sparkling points of light. He rubbed his eyes savagely [10] to clear his vision, and beheld not a horse but a great brown bear [11]. The animal was studying him with bellicose curiosity.

The man had brought his gun halfway to his shoulder before he realized. He lowered it and drew his hunting knife from its beaded [12] sheath at his hip [13]. Before him was meat and life. He ran his thumb [14] along the edge of his knife. It was sharp. The point was sharp. He would fling himself upon the bear and kill it. But his heart began its warning thump, thump, thump. Then followed the wild upward leap and tattoo [15] of flutters, the pressing as of an iron band about his forehead, the creeping of the dizziness into his brain.

His desperate courage was evicted by a great surge [16] of fear. In his weakness, what if the animal attacked him? He drew himself up to his most imposing stature, gripping the knife and staring hard at the bear. The bear advanced clumsily a couple of steps, reared up, and gave vent to a tentative [17] growl.

---

1. **farther afield** : *plus loin* ; **afield** : *in the field(s)*.
2. **conceit** : 1) *vanité, affectation* ; 2) (ici) *idée compliquée, bizarre* (de l'italien **concetto**, *trait d'esprit affecté et brillant*).
3. **whimsicalities** : *bizarreries* ; **whimsical**, adj., *capricieux, fantasque, lunatique.*
4. m. à m. *rongeant son esprit comme des vers.*
5. **to jerk** : 1) *donner une secousse* ; 2) *se mouvoir soudainement, se mouvoir par saccades.*
6. **to reel** : *tournoyer, tourner* ; *chanceler, tituber.*
7. **to sway** : 1) *(se) balancer, osciller, vaciller* ; 2) *gouverner, diriger, influencer, influer sur.*
8. **to dodder** : *trembloter, marcher d'un pas incertain.* **Doddering** signifie aussi *gâteux.*
9. **intershot** : *moiré.*

Par instants ses pensées s'égaraient et il avançait en automate, l'esprit rongé par des fantasmes et des idées bizarres. Mais ces excursions hors du réel ne duraient guère, car la morsure de la faim le ramenait toujours au présent. Une fois, il fut brutalement arraché à ce vagabondage par un spectacle qui le fit presque s'évanouir. Il tituba et chancela, battant l'air comme un homme ivre pour ne pas perdre l'équilibre. Devant lui se tenait un cheval. Un cheval ! Il n'en croyait pas ses yeux. Un brouillard épais les habitait, criblé de points lumineux. Il les frotta furieusement pour s'éclaircir la vue et contempla non pas un cheval mais un grand ours brun. L'animal l'étudiait avec une curiosité belliqueuse.

L'homme avait à demi épaulé quand il se souvint. Il abaissa l'arme et tira son couteau du fourreau orné de perles qu'il portait au côté. Il avait devant lui de la viande, de la vie. Il éprouva du pouce le fil de la lame. Elle était aiguisée. La pointe en était vive. Il se jetterait sur l'ours et le tuerait. Mais son cœur se mit à sonner l'alarme à coups sourds. Puis ce fut l'accélération brutale des pulsations qui battaient la chamade, la pression semblable à celle d'un cercle d'acier autour de son front, le vertige qui envahissait son esprit.

Son courage désespéré fut balayé par la houle puissante de la terreur. Épuisé comme il l'était, que ferait-il si l'animal l'attaquait ? Il se déploya de toute sa taille, étreignant le couteau et fixant l'animal avec détermination. L'ours fit vers lui deux pas maladroits, se dressa sur les pattes de derrière et émit un grognement irrésolu.

---

10. **savagely** : de **savage**, *brutal, violent, farouche, féroce.* ⚠ *sauvage* correspond plutôt à **wild**. *Animaux sauvages*, **wild animals**.
11. **bear** : ⚠ pron. [bɛər].
12. **beaded** : de **bead** [biːd], *perle, goutte, petite boule, bulle.*
13. **hip** : *hanche.*
14. **thumb** : ⚠ pron. [θʌm]. **b** non prononcé. **To run**, au sens de *parcourir, promener.*
15. **leap and tattoo** : **leap** donne l'idée d'un changement soudain de rythme et d'intensité *(saute)* ; **tattoo**, *sonnerie de clairon et roulement de tambour* pour l'appel du soir ou la retraite.
16. **surge** : *houle, grosse lame, vague de fond.*
17. **tentative** : *à titre d'essai, d'expérience.*

If the man ran, he would run after him; but the man did not run. He was animated now with the courage of fear. He, too, growled, savagely, terribly, voicing the fear that is to life germane [1] and that lies twisted [2] about life's deepest roots.

The bear edged away to one side, growling menacingly [3], himself appalled [4] by this mysterious creature that appeared upright and unafraid. But the man did not move. He stood like a statue till the danger was past, when he yielded to a fit of trembling and sank down into the wet moss.

He pulled himself together and went on, afraid now in a new way. It was not the fear that he should die passively from lack of food, but that he should be destroyed violently before starvation [5] had exhausted the last particle of the endeavor [6] in him that made toward surviving. There were the wolves. Back and forth across the desolation drifted their howls, weaving [7] the very air into a fabric [8] of menace that was so tangible that he found himself, arms in the air, pressing it back from him as it might be the walls of a wind-blown tent.

Now and again the wolves, in packs of two and three, crossed his path. But they sheered [9] clear of him. They were not in sufficient numbers, and besides, they were hunting the caribou, which did not battle, while this strange [10] creature [11] that walked erect might scratch and bite.

In the late afternoon he came upon scattered bones where the wolves had made a kill [12].

---

1. **germane :** *en rapport avec, se rapportant à.*
2. **to twist :** 1) *(se) tordre, (se) tortiller, se contorsionner ;* 2) *déformer, dénaturer.* **To twist the truth, the facts :** *déformer la vérité, les faits.*
3. **menacingly :** Δ pron. de **menace** (nom et verbe) ['menəs].
4. **to appal :** *consterner, épouvanter, accabler.*
5. **starvation :** *inanition, privation de nourriture, famine.* **To die of starvation :** *mourir de faim.* **To starve :** 1) *mourir de faim, avoir très faim, être affamé.* **To starve to death,** *mourir de faim ;* 2) *priver de nourriture, faire mourir de faim.*
6. **endeavor,** (G.B.) **endeavour :** *tentative, effort.* **To endeavor,** *s'efforcer de, essayer.* Désigne ici l'*esprit de lutte*, le **fighting spirit** qui anime encore le héros.
7. **to weave, wove, woven :** *tisser, tramer.*

Que l'homme s'enfuie, et il le poursuivrait ; mais l'homme ne s'enfuit pas. Il était maintenant habité du courage de la peur. Lui aussi émit un grognement féroce, terrible, exprimant l'angoisse consubstantielle à la vie et mêlée à ses racines les plus profondes.

L'ours s'écarta de côté, grondant de façon menaçante, lui-même impressionné par cette créature mystérieuse qui se tenait debout et ne semblait pas effrayée. Mais l'homme ne bougea pas. Il resta immobile comme une statue jusqu'à ce que le danger fût passé, pour s'abandonner alors à un accès de tremblements et s'effondrer sur la mousse humide.

Il se ressaisit et reprit sa marche, en proie à une peur nouvelle. Non pas la crainte de mourir d'inanition mais celle d'être brutalement abattu avant que la faim n'ait détruit en lui la dernière trace de l'esprit de survie. Il pensait aux loups. Leurs hurlements se répondaient, flottant sur l'étendue désertique et tissant dans l'air même une menace si tangible qu'il se prit, bras tendus, à la repousser comme il aurait fait des parois d'une tente battue par le vent.

De temps en temps, les loups, par groupes de deux ou trois, croisaient son chemin. Mais ils passaient au large. Ils n'étaient pas suffisamment nombreux, et en outre ils chassaient le caribou, qui n'offrait pas de résistance, alors que cette étrange créature qui marchait debout était susceptible de griffer et de mordre.

Tard dans l'après-midi, il découvrit des os éparpillés, là où les loups avaient mis à mort leur proie.

---

8. **fabric** : *tissus*. Au propre comme au figuré : **the social fabric**, *le tissu social*.

9. **to sheer** : *faire une embardée* (navire) ; **to sheer off**, *passer au large, s'écarter*. Ici, **to sheer** suggère un brusque changement de direction, **clear of him** indique que les loups veulent éviter l'homme. Cf. **to stand clear, to keep clear of something**, *se tenir à l'écart de, à distance de, s'écarter de*.

10. **strange** : △ pron. [streindʒ]. Bien prononcer avec le son [ei] (diphtongue) de **table** ['teibl]. De même pour **change** et **range** (*portée*).

11. **creature** : △ pron. ['kriːtʃər].

12. **kill** : *mise à mort* (d'un animal pourchassé).

The debris [1] had been a caribou calf [2] an hour before, squawking [3] and running and very much alive [4]. He contemplated the bones, clean-picked and polished, pink with the cell life in them which had not yet died. Could it possibly be that he might be that [5] ere [6] the day was done! Such was life, eh? A vain and fleeting [7] thing. It was only life that pained. There was no hurt in death. To die was to sleep [8]. It meant cessation, rest. Then why was he not content to die?

But he did not moralize long. He was squatting [9] in the moss, a bone in his mouth, sucking at the shreds of life that still dyed it faintly pink. The sweet meaty taste, thin and elusive almost as a memory, maddened him. He closed his jaws on the bones and crunched. Sometimes it was the bone that broke, sometimes his teeth. Then he crushed the bones between rocks, pounded [10] them to a pulp [11], and swallowed them. He pounded his fingers, too, in his haste, and yet found a moment in which to feel surprise at the fact that his fingers did not hurt much when caught under the descending rock [12].

Came frightful days of snow and rain. He did not know when he made camp, when he broke camp. He traveled in the night as much as in the day. He rested wherever [13] he fell, crawled on whenever the dying life in him flickered [14] up and burned less dimly. He, as a man, no longer strove [15]. It was the life in him, unwilling to die, that drove him on. He did not suffer. His nerves had become blunted, numb, while his mind was filled with weird [16] visions and delicious dreams.

---

1. **debris** ['deibri:], (U.S.) [dəˈbri:] : *débris, détritus*, mais aussi *ruines, vestiges* ou, comme ici, *restes*.

2. **calf** [kæf], (G.B.) [ka:f] : pl. **calves** [kævz], (G.B.) [ka:vz] : *veau ; petit* des grands mammifères (y compris la baleine). Le **l** n'est pas prononcé (cf. **half**).

3. **to squawk** : *pousser des cris rauques.*

4. **very much alive** : *bien vivant.* Δ **alive** est toujours attribut, jamais épithète. Il s'agit ici d'une expression toute faite : de façon générale, **much** et **very much** ne s'emploient pas devant un adj., mais seulement devant un participe passé.

5. **that** : reprend **the bones**. *Était-il possible qu'il fût réduit à cet état avant la fin du jour ?*

6. **ere** [ɛər] : *avant ; avant que.* Archaïque ou littéraire.

7. **fleeting** : *fugitif, fugace, passager, éphémère.*

74

Ces restes, une heure plus tôt, étaient encore un jeune caribou plein de vie, bramant et bondissant. L'homme contempla les os, entièrement rongés et polis, roses de la vie des cellules qui n'étaient pas encore mortes. Était-il possible qu'il devienne cela avant la fin du jour ? Ainsi c'était cela la vie ? Vanité éphémère. Seule la vie faisait souffrir. La mort était indolore. Mourir, c'était s'endormir. C'était l'arrêt, le repos. Pourquoi alors n'était-il pas content de mourir ?

Mais il ne philosopha pas longtemps. Il était accroupi sur la mousse, un os à la bouche, suçant les restes de vie qui le teintaient encore vaguement de rose. La douce saveur de viande, presque aussi ténue et fugace qu'un souvenir, le rendait fou. Il referma les mâchoires sur les os pour les broyer. Tantôt c'était l'os qui cédait, tantôt ses dents. Il écrasa alors les os entre des pierres, les réduisant en miettes avant de les avaler. Dans sa hâte, il frappa sur ses doigts et trouva cependant le temps d'être surpris du peu de douleur qu'il en ressentit.

Vinrent alors des jours terribles, de neige et de pluie. Il ne savait plus quand il dressait son campement ni quand il repartait. Il voyageait la nuit autant que le jour. Il se reposait là où il tombait et recommençait à se traîner quand l'étincelle qui l'habitait se ranimait pour brûler moins faiblement. En tant qu'être humain, il avait cessé de vouloir. C'était la vie, refusant de s'éteindre en lui, qui le forçait à continuer. Il ne souffrait pas. Sa perception s'était émoussée, engourdie, et son esprit était empli de visions étranges et de rêves délicieux.

---

8. **to sleep** : *dormir ; s'endormir*, **to go to sleep**.
9. **to squat** : *s'accroupir, être accroupi.*
10. **to pound** : *marteler, bourrer de coups ; broyer, écraser.*
11. **pulp** : *pulpe, pâte.* **To reduce to a pulp, to beat into a pulp,** *mettre en bouillie, écraser, écrabouiller.*
12. m. à m. *quand (ils étaient) pris sous le roc qui descendait.*
13. **wherever** : *partout où, ou quel que soit l'endroit où.*
14. **to flicker** : *vaciller* (flamme).
15. **to strive, strove, striven** : *s'efforcer, faire des efforts, essayer, tenter (de faire).*
16. **weird** ['wiːərd] : *étrange, surnaturel, insolite.*

But ever he sucked and chewed on the crushed bones of the caribou calf, the least remnants of which he had gathered up and carried with him. He crossed no more hills or divides, but automatically followed a large stream which flowed through a wide and shallow valley. He did not see this stream nor this valley. He saw nothing save visions. Soul and body walked or crawled side by side, yet apart, so slender was the thread that bound them.

He awoke in his right mind[1], lying on his back on a rocky ledge. The sun was shining bright and warm. Afar off[2] he heard the squawking of caribou calves. He was aware of vague memories of rain and wind and snow, but whether he had been beaten by the storm for two days or two weeks he did not know.

For some time he lay without movement, the genial[3] sunshine pouring upon him and saturating his miserable[4] body with its warmth. A fine day, he thought. Perhaps he could manage to locate[5] himself. By a painful effort he rolled over on his side. Below him flowed a wide and sluggish river. Its unfamiliarity puzzled him. Slowly he followed it with his eyes, winding[6] in wide sweeps[7] among the bleak[8], bare hills, bleaker and barer and lower-lying than any hills he had yet encountered. Slowly, deliberately, without excitement or more than the most casual[9] interest, he followed the course of the strange stream toward the sky line and saw it emptying into a bright and shining sea. He was still unexcited. Most[10] unusual, he thought, a vision or a mirage — more likely a vision, a trick[11] of his disordered mind.

---

1. **in his right mind** : *en possession de toutes ses facultés.* He is no longer in his right mind, *il n'a plus sa tête à lui, il n'a plus toute sa tête.*
2. **afar off** : (littéraire) in the distance, far away.
3. **genial** : ▲ *cordial, jovial, sympathique, de bonne humeur* ; *doux* (climat, etc.). *Génial* se traduit par **of genius.** *Un inventeur génial,* **a genius of an inventor.**
4. **miserable** : *malheureux, triste.* To feel miserable, *avoir le cafard.* Misery indique la souffrance morale et physique plus que la pauvreté. *Vivre dans la misère,* to live in poverty.
5. **to locate** : *localiser, repérer, trouver.*
6. **to wind** [waind], **wound, wound** [waund] : *serpenter.*
7. **sweep** : *courbe, virage.* Aussi *étendue de terrain* ; *coup de balai,* etc. L'élément commun au nom comme au verbe (**to sweep**) et à la base de ces nombreux sens est un vaste mouvement cir-

Mais il suçait et mâchonnait toujours les os broyés du jeune caribou, dont il avait ramassé et emporté les moindres restes. Il ne franchissait plus de collines ni de crêtes, mais suivit machinalement un gros ruisseau qui coulait dans une vallée large et peu profonde. Il ne voyait ni le ruisseau ni la vallée. Il ne voyait que des visions. Son âme et son corps marchaient ou se traînaient côte à côte, et pourtant séparés, tant était mince le fil qui les reliait.

Il s'éveilla l'esprit clair, allongé sur le dos sur un seuil rocheux. Le soleil brillait, clair et chaud. Il entendait au loin bramer de jeunes caribous. Il avait de vagues souvenirs de pluie, de vent et de neige, mais il était incapable de savoir s'il avait été ballotté par la tempête pendant deux jours ou deux semaines.

Il resta quelque temps immobile, les rayons bienveillants du soleil se déversant sur lui et saturant de leur chaleur son pauvre corps. Une belle journée, pensa-t-il. Peut-être parviendrait-il à se repérer. En un effort douloureux il se tourna sur le flanc. Au-dessous de lui coulait une large rivière au courant paresseux. Son aspect peu familier l'intrigua. Il suivit lentement des yeux son parcours sinueux aux amples méandres parmi les collines mornes et nues, plus mornes, plus nues et plus basses que toutes les collines qu'il avait rencontrées jusque-là. Lentement, délibérément, sans émotion, sans plus qu'un intérêt tout banal, il suivit le progrès de cet étrange cours d'eau vers l'horizon et le vit se jeter dans une mer éclatante de lumière. Il ne s'en émut pas davantage. Très insolite, pensa-t-il, vision ou mirage... Plus probablement une vision, un tour que lui jouait son esprit dérangé.

---

culaire. **To be swept into power**, être porté au pouvoir. **A sweeping reform**, une réforme radicale.
8. **bleak** : morne, sinistre ; balayé par le vent. **Bleak prospects**, perspectives sinistres, avenir sombre.
9. **casual** : fortuit, accidentel, désinvolte. En anglais moderne, signifie souvent informel. **A casual remark**, une remarque faite en passant. **Casual dress**, tenue sport, tenue de ville (contraire de **formal dress**).
10. **most unusual** : m. à m. des plus inhabituels.
11. **a trick** : to play tricks, jouer des tours.

He was confirmed in this by sight of a ship lying at anchor in the midst [1] of the shining sea. He closed his eyes for a while, then opened them. Strange how the vision persisted! Yet not strange. He knew there were no seas or ships in the heart of the barren lands, just as he had known there was no cartridge in the empty rifle.

He heard a snuffle [2] behind him — a half-choking [3] gasp [4] or cough [5]. Very slowly, because of his exceeding weakness and stiffness, he rolled over on his other side. He could see nothing near at hand, but he waited patiently. Again came the snuffle and cough, and outlined between two jagged [6] rocks not a score [7] of feet away he made out the gray head of a wolf. The sharp ears were not pricked so sharply as he had seen them on other wolves; the eyes were bleared [8] and bloodshot, the head seemed to droop [9] limply [10] and forlornly [11]. The animal blinked continually in the sunshine. It seemed sick. As he looked it snuffled and coughed again.

This, at least, was real, he thought, and turned on the other side so that he might see the reality of the world which had been veiled from him before by the vision. But the sea still shone in the distance and the ship was plainly discernible. Was it reality after all? He closed his eyes [12] for a long while and thought, and then it came to him. He had been making north by east [13], away from the Dease Divide and into the Coppermine Valley. This wide and sluggish river was the Coppermine. That [14] shining sea was the Arctic Ocean.

---

1. **midst** : middle. Forme ancienne, mais encore très fréquente. Cf. **amidst** : in the middle of, among.
2. **a snuffle** : cf. to snuffle, *nasiller, parler du nez.*
3. **to choke** : *étouffer, suffoquer, étrangler, s'étrangler* (de colère, d'émotion, **with anger, with emotion**).
4. **gasp** : *hoquet, halètement* (de surprise, terreur, colère, etc.). **To gasp,** *haleter, avoir le souffle coupé.* **To gasp for breath,** *essayer de reprendre son souffle, être essoufflé.*
5. **a cough** [kɔf] : cf. **to cough,** *tousser.*
6. **jagged** : *déchiqueté, dentelé, aux arêtes vives* (montagne, côtes).
7. **a score** : *une vingtaine* ; **two score,** *quarante.* Précédé d'un chiffre, **score** est invariable, comme **hundred, thousand,** etc. Mais **scores of...,** *des vingtaines de...*

Ce que confirma la présence d'un navire à l'ancre au milieu de cette mer étincelante. Il ferma les yeux un instant, puis les ouvrit à nouveau. Étrange comme la vision persistait. Et pourtant pas si étrange. Il savait qu'il n'y avait ni mer ni navire au cœur de ces étendues désolées, tout comme il avait su qu'il n'y avait pas de cartouche dans le fusil.

Il entendit derrière lui un reniflement, un halètement ou une toux au bord de la suffocation. Très lentement, à cause de sa faiblesse et de sa raideur extrêmes, il se retourna sur l'autre côté. Ne voyant rien à proximité, il attendit patiemment. Le reniflement et la toux se firent entendre à nouveau et, se détachant entre deux rochers déchiquetés à moins de vingt pieds, il distingua la tête grise d'un loup. Les oreilles pointues n'étaient pas dressées aussi droites qu'il les avait vues chez les autres loups ; les yeux étaient chassieux et injectés de sang, la tête semblait pendre mollement, pitoyablement. L'animal clignait constamment des yeux sous le soleil. Il avait l'air malade. Tandis que l'homme le regardait il renifla et toussa à nouveau.

Cela, au moins, était réel, pensa l'homme, en se retournant sur l'autre côté pour voir la réalité du monde qui précédemment lui avait été voilée par sa vision. Mais la mer brillait toujours au loin et le navire était clairement visible. Et si c'était la réalité, après tout ? Il ferma les yeux pendant un long moment, se concentrant, et soudain il comprit. Il avait marché nord-quart-nord-est, s'éloignant de la ligne de partage des eaux de la Dease et pénétrant dans la vallée de la Coppermine. Cette large rivière au cours paresseux était la Coppermine. La mer étincelante était l'océan Arctique.

---

8. **bleared** : *larmoyants, troubles* (yeux). Cf. **to blear,** *obscurcir, embrumer, estomper.*
9. **to droop :** *(se) pencher, pendre, s'affaisser.* **Drooping shoulders,** *épaules tombantes.*
10. **limply :** adv. formé sur l'adj. **limp,** *mou, flasque, sans énergie.*
11. **forlornly :** de **forlorn,** *abandonné* (lieu ou personne), *délaissé, désolé, perdu, morne.*
12. **he closed his eyes :** notez l'emploi obligatoire de l'adjectif possessif **his.**
13. **making north : to make** au sens de *se diriger vers.* Cf. **to make for (to head for) ; to make for home,** *rentrer chez soi.*
14. **that :** la rivière est plus proche, d'où **this.** La mer plus éloignée, d'où **that.**

That ship was a whaler [1], strayed [2] east, far east, from the mouth of the Mackenzie, and it was lying at anchor in Coronation Gulf. He remembered the Hudson's Bay Company chart he had seen long ago, and it was all clear and reasonable to him.

He sat up and turned his attention to immediate affairs. He had worn through [3] the blanket wrappings, and his feet were shapeless lumps [4] of raw meat. His last blanket was gone. Rifle and knife were both missing. He had lost his hat somewhere, with the bunch of matches in the band, but the matches against his chest were safe and dry inside the tobacco pouch [5] and oil paper. He looked at his watch. It marked eleven o'clock and was still running. Evidently he had kept it wound.

He was calm and collected [6]. Though extremely weak, he had no sensation of pain. He was not hungry. The thought of food was not even pleasant [7] to him, and whatever he did was done by his reason alone. He ripped off his pants legs to the knees and bound them about his feet. Somehow [8] he had succeeded in retaining the tin bucket [9]. He would have [10] some hot water before he began [11] what he foresaw [12] was to be a terrible [13] journey to the ship.

His movements were slow. He shook as with a palsy [14]. When he started to collect dry moss he found he could not rise to his feet. He tried again and again, then contented himself with crawling about on hands and knees. Once he crawled near to the sick wolf

---

1. **whaler :** de **whale,** *baleine.*
2. **to stray :** *s'écarter* (de la ligne droite, de la morale), *s'égarer.* Cf. **to go astray,** *faire fausse route, se dévoyer.* A **stray dog,** *un chien errant.*
3. **through :** *user jusqu'à la corde, jusqu'à la trame.*
4. **lump :** *gros morceau, bloc, motte.* **Lump of sugar,** *morceau de sucre.* **Lump sum,** *somme globale, forfaitaire.*
5. **pouch** [pauʃt] : *petit sac, bourse, poche.*
6. **calm and collected :** (expression toute faite) *serein, impassible, qui ne perd pas la tête.*
7. **pleasant :** △ **to please** [pli:z] mais **pleasant** ['plezənt].
8. **somehow :** *en quelque sorte, d'une façon ou d'une autre.*
9. **He sat up... tin bucket :** remarquez comme dans ces deux paragraphes, les phrases courtes et nerveuses de Jack London s'accor-

Le navire était un baleinier qui s'était égaré trop loin à l'est de l'embouchure de la Mackenzie, et était maintenant à l'ancre dans le golfe du Couronnement. Il se souvint de la carte de la Compagnie de la Baie d'Hudson qu'il avait vue jadis, et tout lui parut clair et rationnel.

Il s'assit et consacra son attention à ses problèmes immédiats. Ses pieds avaient percé les bouts de couverture qui les entouraient et n'étaient plus que des morceaux informes de viande crue. Sa dernière couverture avait disparu. Son fusil et son couteau manquaient tous les deux. Il avait perdu son chapeau quelque part, avec le paquet d'allumettes dans la bande, mais celles qu'il avait mises dans sa blague à tabac et enveloppées de toile cirée étaient au sec et en sécurité contre sa poitrine. Il regarda sa montre. Elle marquait onze heures et fonctionnait toujours. Il l'avait certainement remontée régulièrement.

Il était calme et maître de lui. Bien qu'il fût extrêmement faible, il ne ressentait aucune douleur. Il n'avait pas faim. L'idée de nourriture ne lui était même pas agréable, et tout ce qu'il faisait lui était dicté par sa raison seule. Il déchira ses jambes de pantalon jusqu'au genou et s'en entoura les pieds. Il avait réussi, sans savoir comment, à conserver la casserole en fer-blanc. Il allait boire de l'eau chaude avant d'entreprendre vers le navire une marche qu'il prévoyait devoir être une terrible épreuve.

Ses mouvements étaient lents. Il tremblait comme une feuille. Quand il voulut ramasser de la mousse sèche, il s'aperçut qu'il ne pouvait pas se mettre debout. Il essaya à plusieurs reprises, puis se contenta de se traîner à quatre pattes. A un moment, sa reptation l'amena près du loup malade.

---

dent parfaitement à la lucidité retrouvée et aux préoccupations pratiques du héros.

10. **he would have :** *il aurait* (ou *il prendrait*, cf. **to have tea**), teinté d'une idée de volonté **(will)**.

11. **he began :** prétérit à cause de la concordance des temps **(he would have)**.

12. **to foresee, foresaw, foreseen :** *prévoir* (à titre personnel). *Prévoir et le faire savoir :* **to forecast. Economic forecasts,** *prévisions économiques.*

13. **terrible :** le mot est fort et peut être rendu par *effroyable, atroce, épouvantable.* Attention au français *terrible* en langue familière (= *épatant*) : **terrific.**

14. **palsy :** *paralysie tremblante.*

The animal dragged itself[1] reluctantly out of his way, licking its chops[2] with a tongue which seemed hardly to have the strength[3] to curl. The man[4] noticed that the tongue[5] was not the customary healthy red. It was a yellowish brown and seemed coated with a rough and half-dry mucus.

After he had drunk a quart of hot water the man found he was able to stand, and even to walk as well as a dying man might be supposed to[6] walk. Every minute or so he was compelled to rest. His steps were feeble and uncertain, just as the wolf's that trailed him were feeble and uncertain; and that night, when the shining sea was blotted out[7] by blackness, he knew he was nearer to it by no more than four miles[8].

Throughout the night he heard the cough of the sick wolf, and now and then the squawking of the caribou calves. There was life all around him, but it was strong life, very much alive and well[9], and he knew the sick wolf clung[10] to the sick[11] man's trail in the hope that the man would die first. In the morning, on opening his eyes, he beheld[12] it regarding[13] him with a wistful[14] and hungry stare[15]. It stood crouched, with tail between its legs, like a miserable and woebegone[16] dog. It shivered in the chill morning wind and grinned dispiritedly[17] when the man spoke to it in a voice that achieved no more than a hoarse whisper.

The sun rose brightly, and all morning the man tottered and fell toward the ship on the shining sea. The weather was perfect[18].

---

1. **itself :** notez que le loup, sinistre et répugnant, est au neutre **(it)** alors que la perdrix et l'ours précédemment rencontrés étaient respectivement au féminin et au masculin.
2. **chop :** 1) *côtelettes ;* 2) *babines, mâchoires.*
3. **strength :** l'adj. **strong** donne le nom **strength**, comme **long** donne **length, broad** donne **breadth**.
4. **the man :** le fait de ne rien savoir de cet homme (sa vie antérieure, etc.) augmente la valeur symbolique et héroïque du récit.
5. **tongue :** △ pron. [tʌŋ].
6. **might be supposed to walk :** m. à m. *pourrait être supposé marcher.*
7. **to blot out :** *effacer, cacher.* **A blot,** *une tache.*
8. **mile :** 1,609 km.

82

L'animal s'écarta péniblement, à regret, se léchant les babines d'une langue qui semblait avoir à peine la force de se retrousser. L'homme remarqua qu'elle n'avait pas sa couleur habituelle, d'un rouge sain. Elle était d'un brun jaunâtre, et paraissait recouverte d'un mucus rugueux et à demi desséché.

Après avoir bu un litre d'eau bien chaude, l'homme se trouva capable de se tenir debout, et même de marcher comme marcherait un mourant. Toutes les minutes ou presque il lui fallait se reposer. La faiblesse rendait ses pas mal assurés, tout comme pour le loup qui s'attachait à le suivre. Et cette nuit-là, quand la mer étincelante fut masquée par l'obscurité, il savait qu'il ne s'en était rapproché que de quatre miles.

Toute la nuit il entendit la toux du loup malade, et de temps en temps le meuglement rauque des jeunes caribous. La vie était là tout autour de lui, mais c'était une vie robuste, éclatante de santé, et il savait que le loup malade s'attachait aux pas de l'homme épuisé dans l'espoir que celui-ci meure le premier. Au matin, en ouvrant les yeux, il le vit qui le contemplait d'un regard triste et affamé. L'animal se tenait accroupi, la queue entre les jambes, comme un pauvre chien pitoyable. Il frissonnait dans la bise du matin et grimaça d'un air abattu quand l'homme s'adressa à lui d'une voix qui n'était qu'un chuchotement rauque.

Le soleil se leva dans un ciel clair et toute la matinée l'homme tituba de chute en chute vers le navire sur la mer étincelante. Il faisait un temps magnifique.

---

9. **very much alive and well :** expression toute faite. Cf. **very much alive and kicking.**

10. **to cling, clung, clung :** *s'accrocher, s'agripper.*

11. **sick :** *malade*, indique aussi la lassitude et l'abattement.

12. **to behold, beheld, beheld :** *apercevoir, voir, contempler, être témoin de* (littéraire).

13. **to regard :** ici sens littéraire ; signifie d'habitude *concerner*. **As regards,** *pour ce qui est de, en ce qui concerne.*

14. **wistful :** *désenchanté, pensif, songeur, de regret.*

15. **stare :** *regard fixe* ; **to stare (at something, someone),** *regarder fixement* (quelqu'un, quelque chose).

16. **woebegone :** *triste, désolé, navré, inconsolable, abattu.*

17. **dispiritedly :** de **dispirited,** *qui a perdu courage, découragé.*

18. cf. note 7, page 149, sur l'indifférence de la nature au sort de l'individu.

It was the brief Indian summer [1] of the high latitudes. It might last a week. Tomorrow [2] or next day it might be gone.

In the afternoon the man came upon a trail. It was of another man, who did not walk, but who dragged himself on all fours. The man thought it might be Bill, but he thought in a dull [3], uninterested way. He had no curiosity. In fact sensation and emotion had left him. He was no longer susceptible [4] to pain. Stomach and nerves had gone to sleep. Yet the life that was in him drove him on. He was very weary, but it refused to die. It was because it refused to die that he still ate muskeg berries and minnows, drank his hot water, and kept a wary [5] eye on the sick wolf.

He followed the trail of the other man who dragged himself along, and soon came to the end of it – a few fresh-picked bones where the soggy moss was marked by the foot pads [6] of many wolves. He saw a squat moose-hide sack, mate [7] to his own, which had been torn [8] by sharp teeth. He picked it up, though its weight was almost too much for his feeble fingers. Bill had carried it to the last. Ha-ha! He would have the laugh [9] on Bill. He would survive and carry it to the ship in the shining sea. His mirth [10] was hoarse and ghastly [11], like a raven's croak [12], and the sick wolf joined him, howling lugubriously. The man ceased [13] suddenly. How could he have the laugh on Bill if that were Bill; if those bones, so pinky-white and clean, were Bill?

He turned away. Well, Bill had deserted him; but he would not take the gold, nor would [14] he suck Bill's bones.

---

1. **Indian summer :** période de beau temps, doux et ensoleillé, avec un ciel clair, survenant tard en automne ou au début de l'hiver.
2. **tomorrow :** *demain*. Met davantage le lecteur à la place du héros que ne le ferait **the following day**.
3. **dull :** ici au sens de *émoussé, sans éclat, sans réaction*.
4. **susceptible to pain :** notez le sens (*sensible à, prédisposé à*) et la construction avec **to**. Le français *susceptible* (qui se vexe) : **touchy ; sensitive**. *Susceptible de* (faire quelque chose, se produire) : **likely to**.
5. **wary :** *prudent, circonspect*. Même racine que dans **to be aware**, *être conscient (de)*, *au courant de*, et dans **to beware** : *faire attention, se méfier*.
6. **pads :** *coussinet, bourrelet*.

C'était le court été indien des hautes latitudes : il durerait peut-être une semaine, comme il pourrait prendre fin le lendemain ou le jour suivant.

Au cours de l'après-midi, l'homme rencontra une piste. Celle d'un autre homme, qui ne marchait pas mais se traînait à quatre pattes. L'homme pensa que ce pouvait être Bill, sans que cela le touchât ou l'intéressât particulièrement. Il ne ressentait pas de curiosité. En fait, il était vide de sensation et d'émotion. Il n'était plus sensible à la douleur. Son estomac et ses nerfs s'étaient assoupis. Et pourtant la vie qui restait en lui le poussait de l'avant. Il était très las, mais elle refusait de s'éteindre. C'était parce qu'elle refusait de mourir qu'il continuait à manger des baies des marais et des vairons, à boire son eau chaude et à surveiller le loup malade.

Il suivit la piste de l'autre homme qui avançait en se traînant, et parvint bientôt là où elle s'arrêtait : quelques os récemment rongés autour desquels la mousse spongieuse portait les empreintes d'un grand nombre de loups. Il vit un sac rebondi en peau d'élan, identique au sien, qui avait été déchiré par des crocs acérés. Il le souleva, bien qu'il fût presque trop lourd pour ses doigts sans force. Bill l'avait transporté jusqu'à la fin. Ha ha ! C'est lui qui rirait le dernier aux dépens de Bill. Il survivrait et emporterait le sac jusqu'au navire sur la mer étincelante. Son rire était rauque et sinistre, comme le croassement d'un corbeau, et le loup malade s'y associa en un hurlement lugubre. L'homme s'interrompit soudain. Comment pouvait-il se moquer de Bill si ces os, blancs teintés de rose, si propres, étaient vraiment ceux de Bill ?

Il se détourna. Certes, Bill l'avait abandonné. Mais il ne prendrait pas l'or, il ne sucerait pas les os de Bill.

---

7. **mate** : *compagnon, camarade ; mâle ou femelle d'un couple, d'une paire* (animaux, etc.).
8. **to tear, tore, torn** : △ pron. [teər]. Mais **a tear** [tiər], *une larme*.
9. **to have the laugh on** : *mettre les rieurs de son côté, rire aux dépens de.*
10. **mirth** : *allégresse, joie* (bruyante), *hilarité*. D'un emploi plutôt littéraire.
11. **ghastly** : *affreux, horrible, effroyable ; spectral, d'une pâleur mortelle.*
12. **croak** : le verbe **to croak**, *croasser*, signifie aussi *coasser* ; subst., *coassement* (grenouilles).
13. **to cease** : △ pron. [si:s] **s** et non **z**.
14. **nor would he** : inversion sujet verbe après **nor** ou **neither**.

Bill would have [1], though, had it been the other way around, he mused [2] as he staggered on.

He came to a pool of water. Stooping [3] over in quest of minnows, he jerked his head back as though he had been stung [4]. He had caught sight of his reflected face. So horrible was it that sensibility awoke long enough to be shocked. There were three minnows in the pool, which was too large to drain; and after several ineffectual [5] attempts to catch them in the tin bucket he forbore [6]. He was afraid, because of his great weakness, that he might fall in and drown. It was for this reason that he did not trust himself to [7] the river astride [8] one of the many drift logs [9] which lined [10] its sandspits.

That day he decreased the distance between him and the ship by three miles; the next day by two – for he was crawling now as Bill had crawled; and the end of the fifth day found the ship still seven miles away and him unable to make even [11] a mile a day. Still the Indian summer held on, and he continued to crawl and faint, turn and turn about [12]; and ever the sick wolf coughed and wheezed [13] at his heels [14]. His knees had become raw meat like his feet, and though he padded [15] them with the shirt from his back it was a red track he left behind him on the moss and stones. Once, glancing back, he saw the wolf licking hungrily his bleeding trail [16], and he saw sharply what his own end might be –unless– unless he could get the wolf.

---

1. **would have** : would have taken the gold and sucked the bones.
2. **to muse** : *méditer, réfléchir, rêver, rêvasser.*
3. **to stoop** : *se pencher, se baisser, s'incliner, s'abaisser à.*
4. **to sting, stung, stung** : *piquer.*
5. **ineffectual attemps** : *tentatives vaines.*
6. **to forbear, forbore, forborne** : *s'abstenir* (de faire quelque chose).
7. **to trust someone** : *faire confiance à, se fier à, se confier à quelqu'un, mettre sa confiance en quelqu'un.* To trust something to someone, *confier quelque chose à quelqu'un.*
8. **astride** : *à califourchon, à cheval.*
9. **drift log** : *bûche qui a dérivé* (to drift).
10. **to line** : *border* ; *doubler* (vêtement). **Which lined** est traduit ici par *échouées le long de* (*s'échouer*, **to be stranded, to run aground**).

Pourtant Bill l'aurait fait, lui, si la situation avait été inversée, se dit-il en reprenant sa marche titubante.

Il arriva à une mare. Se penchant au-dessus pour y chercher des vairons, il rejeta brusquement la tête en arrière comme sous l'effet d'une piqûre. Il avait aperçu le reflet de son visage. C'était si horrible que sa sensibilité se réveilla assez longtemps pour qu'il ressente le choc. Il y avait trois vairons dans la mare, qui était trop grande pour être vidée. Il abandonna, après avoir tenté en vain à plusieurs reprises de les attraper à l'aide de la casserole en fer-blanc. Il craignait, vu sa grande faiblesse, de tomber dans l'eau et de se noyer. C'est pour cette même raison qu'il ne voulait pas confier sa vie à la rivière en enfourchant une des nombreuses billes de bois échouées le long de ses bancs de sable.

Ce jour-là il réduisit de trois miles la distance qui le séparait du navire ; le lendemain, de deux miles. Car il rampait maintenant comme avait rampé Bill. Et au soir du cinquième jour il était encore à sept miles du navire, et incapable de parcourir un mile entier en une journée. L'été indien se prolongeait, et il continuait à ramper et à s'évanouir, ramper et s'évanouir. Et toujours derrière lui, la toux et la respiration sifflante du loup malade qui le suivait comme son ombre. Ses genoux, comme ses pieds, n'étaient plus que de la viande saignante, et bien qu'il les eût protégés avec des lambeaux arrachés au dos de sa chemise, il laissait derrière lui des traces de sang sur la mousse et sur les pierres. Une fois, se retournant, il vit le loup qui léchait avidement cette piste sanglante, et il eut une vision claire de ce que pourrait être sa propre fin — sauf — sauf s'il parvenait à tuer le loup.

---

11. **even a mile** : *ne fût-ce qu'un mille.*
12. **turn and turn about** : expression toute faite ; **by turns,** *alternativement, tour à tour, à tour de rôle.*
13. **to wheeze** : *respirer péniblement,* comme un asthmatique, *avec un sifflement.*
14. **at his heels** : m. à m. *sur ses talons.*
15. **to pad** : *rembourrer, capitonner.*
16. **trail : track** et **trail** sont à peu près synonymes au sens de *piste.* Mais c'est **track** qu'on emploie pour une piste sportive ou de magnétophone et **trail** pour une piste fréquentée.

Then began as grim a tragedy of existence as was ever played — a sick man that crawled, a sick wolf that limped, two creatures dragging their dying carcasses across the desolation and hunting each other's [1] lives.

Had it been [2] a well [3] wolf, it would not have mattered so much to the man; but the thought of going to feed the maw [4] of that loathsome [5] and all but dead [6] thing was repugnant to him. He was finicky [7]. His mind had begun to wander again and to be perplexed by hallucinations, while his lucid intervals grew rarer and shorter.

He was awakened once from a faint by a wheeze close in his ear. The wolf leaped lamely [8] back, losing its footing and falling in its weakness. It was ludicrous, but he was not amused. Nor was he even afraid. He was too far gone for that. But his mind was for the moment clear, and he lay and considered. The ship was no more than four miles away. He could see it quite distinctly when he rubbed the mists out of his eyes, and he could see the white sail of a small boat cutting the water of the shining sea. But he could never crawl those four miles. He knew that, and was very calm in the knowledge. He knew that he could not crawl half a mile. And yet he wanted to live. It was unreasonable [9] that he should die [10] after all he had undergone. Fate [11] asked too much of him. And, dying, he declined [12] to die. It was stark [13] madness, perhaps, but in the very grip of death he defied death and refused to die.

---

1. **each other** : *l'un l'autre.* Cf. **they write to each other,** *ils s'écrivent.* Normalement remplacé par **one another** pour plus de deux personnes — mais l'anglais moderne admet **each other** même dans ce cas.

2. **had it been** : inversion verbe/sujet, littéraire pour **if it had been.**

3. **a well wolf** : en américain, **well** peut être adjectif épithète, au sens de *en bonne santé, bien portant.* **A well man** : *un homme bien portant.*

4. **to feed the maw** : m. à m. *nourrir la gueule.* **Maw** : *estomac d'un animal ; gueule d'un carnivore.*

5. **loathsome** : *répugnant, repoussant, écœurant.* Cf. **to loathe** : *exécrer, éprouver du dégoût, de l'aversion.*

6. **all but** : *presque.* Peut être suivi d'un adjectif, d'un nom ou d'un verbe. **All but impossible,** *presque impossible ;* **she all but fell,** *elle tombe presque ;* **all but a victory,** *presque une victoire.*

Commença alors une des tragédies les plus inexorables que la vie ait jamais jouées : un homme malade qui rampait, un loup malade qui boitait, deux créatures traînant leurs carcasses moribondes au milieu d'un paysage désolé, chacune cherchant à prendre la vie de l'autre.

Si le loup avait été en bonne santé, cela n'aurait pas importé autant à l'homme. Mais la pensée de devenir la proie de cette chose repoussante et presque à l'agonie lui était intolérable. Il avait sa fierté. Son esprit avait recommencé à vagabonder, troublé par des hallucinations, et ses instants de lucidité devenaient plus rares et plus brefs.

Il fut tiré d'un de ses évanouissements par une respiration sifflante contre son oreille. Le loup sauta maladroitement en arrière, perdit l'équilibre et tomba de faiblesse. C'était grotesque, mais l'homme n'en fut pas amusé. Ni d'ailleurs effrayé. Il n'en était plus là. Mais dans l'instant son esprit redevint clair, et il resta étendu à étudier la situation. Le navire n'était qu'à quatre miles. Il le distinguait très clairement quand il se frottait les yeux pour en chasser les brumes et il apercevait la voile blanche d'un petit bateau qui fendait la surface de la mer étincelante. Mais il ne parviendrait jamais à ramper jusqu'à son but. Il le savait, et accueillait cette certitude avec calme. Il savait qu'il ne pourrait même pas parcourir un demi-mile en rampant. Et pourtant il voulait vivre. Ce serait trop anormal de mourir après tout ce qu'il avait enduré. Le sort exigeait trop de lui. Mourant, il rejetait la mort. C'était peut-être de la pure folie mais sous l'étreinte même de la mort il défiait celle-ci et refusait de mourir.

---

7. **finicky :** *délicat, vétilleux, qui a le goût du détail, qui a de la coquetterie.*
8. **lamely :** *de* **lame,** *boiteux.*
9. **unreasonable :** a souvent le sens très fort d'*immodéré, extravagant, exorbitant.*
10. **that he should die :** *qu'il meure, qu'il doive mourir (qu'il mourût, qu'il dût mourir).*
11. **fate :** *le destin.*
12. **to decline :** *refuser, rejeter, décliner.*
13. **stark :** 1) (poétique) *vigoureux ; inflexible ;* 2) sens intensif dans des expressions comme **stark naked,** *entièrement nu,* **stark raving mad,** *complètement fou* (**to rave,** *délirer*).

He closed his eyes and composed [1] himself with infinite precaution. He steeled [2] himself to keep above the suffocating languor that lapped [3] like a rising tide through all the wells [4] of his being. It was very like a sea [5], this deadly languor that rose and rose and drowned his consciousness [6] bit by bit [7]. Sometimes he was all but submerged, swimming [8] through oblivion with a faltering [9] stroke [10]; and again, by some strange alchemy of soul, he would [11] find another shred of will and strike out [12] more strongly.

Without movement he lay on his back, and he could hear, slowly drawing near and nearer, the wheezing intake and output of the sick wolf's breath. It drew closer, ever closer, through an infinitude of time, and he did not move. It was at his ear. The harsh [13] dry tongue grated like sandpaper against his cheek. His hands shot out – or at least he willed them to shoot out. The fingers were curved like talons, but they closed on empty air. Swiftness and certitude require strength, and the man had not this strength.

The patience of the wolf was terrible. The man's patience was no less terrible. For half a day he lay motionless, fighting off unconsciousness and waiting for the thing that was [14] to feed [15] upon him and upon which he wished to feed. Sometimes the languid sea rose over him and he dreamed long dreams [16]; but ever through it all, waking and dreaming, he waited for the wheezing breath and the harsh caress of the tongue.

He did not hear the breath, and he slipped [17] slowly from some dream to the feel of the tongue along his hand.

---

1. **to compose oneself :** *se calmer, reprendre son calme.*
2. **to steel oneself :** *se cuirasser* (contre quelque chose). Steel : *acier.*
3. **to lap :** 1) *laper* ; 2) *lécher les rives, clapoter* (eau).
4. **well :** *puits.*
5. **very like a sea :** littéraire pour **very much like sea** : *mer ou lame, vague.*
6. **consciousness :** *conscience*, au sens de perception. A distinguer de **conscience**, au sens moral.
7. **bit :** *morceau.*
8. **to swim, swam, swum :** *nager.* On peut aussi penser au sens : my head swims, *ma tête tourne.* Mais ce sont les images aquatiques qui s'accumulent dans ce passage : **to lap, tide, wells, sea, drowned, submerged, swimming**, etc., donnant l'idée d'un nageur luttant contre les vagues.

Il ferma les yeux et se concentra avec un soin infini. Il fortifia sa résolution de ne pas céder à la langueur accablante qui montait telle une marée de toutes les profondeurs de son être. Semblable à une véritable houle, cette langueur mortelle s'enflait et déferlait, noyant progressivement sa conscience. Parfois il était presque totalement submergé et les brumes de l'oubli rendaient sa nage hésitante. Et puis, grâce à une étrange alchimie de l'âme, il retrouvait un lambeau de volonté et repartait plus résolument.

Allongé sur le dos, immobile, il entendait se rapprocher lentement l'inspiration et l'expiration sifflantes du loup malade. Plus près, de plus en plus près, tandis que s'écoulait un temps infini, et qu'il restait immobile. C'était contre son oreille. La langue sèche et rugueuse râpait sa joue comme du papier de verre. Ses mains jaillirent... ou plutôt sa volonté leur commanda de jaillir. Ses doigts étaient recourbés comme des serres, mais ils se refermèrent sur le vide. La vitesse et la précision demandent de la force et cette force lui manquait.

La patience du loup était terrible. Celle de l'homme ne l'était pas moins. Pendant une demi-journée il resta immobile, luttant pour ne pas sombrer dans l'inconscience et attendant la chose qui voulait se nourrir de lui et dont il voulait se nourrir. Parfois la langueur le submergeait et il faisait de longs rêves. Mais rêvant ou éveillé, il ne cessait d'attendre la respiration sifflante et la caresse rugueuse de la langue.

Il n'entendit pas le halètement et émergea lentement d'un rêve pour sentir le contact de la langue le long de sa main.

---

9. **to falter :** 1) *hésiter* ; 2) *balbutier*.
10. **stroke :** *nage*. Le sens général de **stroke** est *coup*.
11. **he would find : would** indique la répétition.
12. **to strike out :** complète l'image du nageur. **To strike out with one's arms,** *lancer les bras en avant* (nageur), **to strike out for the shore,** *se mettre à nager vers le rivage* (nageur).
13. **harsh :** *rude, rêche, râpeux*.
14. **that was to feed :** *qui allait se nourrir, dont il était prévu qu'elle se nourrisse*.
15. **to feed, fed, fed :** *nourrir*. **To feed on, upon :** *se nourrir de*.
16. **dreamed long dreams :** l'anglais n'hésite pas à associer verbes et noms de même forme. Cf. **to think a thought**.
17. **to slip :** *glisser*.

He waited. The fangs pressed softly; the pressure increased; the wolf was exerting its last strength in an effort to sink teeth in the food for which it had waited so [1] long. But the man had waited long, and the lacerated hand closed on the jaw. Slowly, while the wolf struggled feebly and the hand clutched feebly, the other hand crept across to a grip [2]. Five minutes later the whole weight of the man's body was on top of the wolf. The hands had not sufficient strength to choke the wolf, but the face of the man was pressed close to the throat of the wolf and the mouth of the man was full of hair. At the end of half an hour the man was aware of a warm trickle [3] in his throat. It was not pleasant. It was like molten lead [4] being forced into his stomach, and it was forced by his will alone. Later the man rolled over on his back and slept.

There were some members of a scientific expedition on the whaleship *Bedford*. From the deck they remarked [5] a strange object on the shore. It was moving down the beach toward the water. They were unable to classify it, and, being scientific men, they climbed [6] into the whaleboat [7] alongside and went ashore to see [8]. And they saw something that was alive but which could hardly be called a man. It [9] was blind, unconscious. It squirmed [10] along the ground like some monstrous worm. Most of its efforts were ineffectual, but it was persistent, and it writhed [11] and twisted [12] and went ahead perhaps a score of feet an hour.

---

1. **had waited so long :** plus-que-parfait car l'attente durait depuis longtemps. Cf. **he has waited (been waiting) for long,** *il attend depuis longtemps ;* **he had waited (been waiting) for long,** *il attendait depuis longtemps.*
2. **crept across to a grip : to creep,** *ramper,* indique un mouvement lent et difficile, **across** un mouvement latéral, de croisement ; **a grip :** *une étreinte.*
3. **trickle :** *filet d'eau, de liquide.* To **trickle :** *couler goutte à goutte.*
4. **lead :** se prononce [led], mais **to lead** *(mener, conduire)* se prononce [li:d].
5. **to remark :** en anglais moderne, s'emploie le plus souvent au sens de *faire une remarque.* Au sens d'*apercevoir,* on emploie plutôt **to notice.**
6. **to climb :** Δ pron. [klaim]. Le **b** n'est pas prononcé.

Il attendit. Les crocs se refermèrent doucement ; leur pression s'accentua ; le loup puisait dans ses dernières forces pour essayer d'enfoncer ses dents dans la nourriture qu'il attendait depuis si longtemps. Mais l'homme aussi attendait depuis longtemps, et sa main lacérée se referma sur la mâchoire. Lentement, pendant que le loup luttait faiblement et que la main serrait faiblement, l'autre main parvint à se placer pour assurer une prise. Cinq minutes plus tard, le corps de l'homme pesait de tout son poids sur celui du loup. Ses mains n'avaient pas assez de force pour l'étouffer mais son visage était pressé tout contre la gorge de l'animal et sa bouche était pleine de poils. Au bout d'une demi-heure, il sentit que quelque chose de chaud s'écoulait dans sa gorge. Ce n'était pas une sensation agréable. On aurait dit du plomb fondu introduit de force dans son estomac — et c'était sa volonté seule qui l'obligeait à l'avaler. Plus tard l'homme roula sur le dos et s'endormit.

Quelques membres d'une expédition scientifique se trouvaient à bord du baleinier *Bedford*. Depuis le pont, ils remarquèrent un objet étrange sur le rivage. Il descendait le long de la plage en direction de l'eau. Ils étaient incapables de le classer et en bons scientifiques ils montèrent dans le canot qui était le long du bord pour aller voir de plus près. Et ils virent quelque chose de vivant, mais qu'on ne pouvait guère appeler un homme. C'était aveugle, inconscient. Cela avançait en se tortillant comme un vers monstrueux. Ses efforts étaient dans l'ensemble inefficaces mais il était obstiné, et, se tordant et se contorsionnant, il progressait de quelque vingt pieds à l'heure.

---

7. **whaleboat :** illustre la différence entre **boat,** *petit bateau,* et **ship** (voir plus haut **whaleship**), *navire, grand bateau.*
8. **went ashore to see :** m. à m. *allèrent au rivage pour voir.*
9. **it :** l'homme n'est plus qu'une chose **(something),** d'où l'emploi du neutre.
10. **to squirm :** *se tortiller* (souvent sous l'effet de la gêne, de la honte, de l'embarras).
11. **to writhe** [raið] : *se tordre* (souvent sous l'effet de la douleur), *se contorsionner.*
12. **to twist :** *(se) tordre* (souvent avec l'idée de déformer).

Three weeks afterward the man lay in a bunk [1] on the whaleship *Bedford*, and with tears streaming [2] down his wasted [3] cheeks told who he was and what he had undergone. He also babbled [4] incoherently of his mother, of sunny southern [5] California, and a home among the orange groves [6] and flowers.

The days were not many after that when he sat at table with the scientific men and ship's officers. He gloated [7] over the spectacle of so much food, watching it anxiously as it went into the mouths ot others. With the disappearance of each mouthful an expression of deep regret came into his eyes. He was quite sane [8], yet he hated those men at mealtime. He was haunted by a fear that the food would not last. He inquired of the cook, the cabin boy, the captain, concerning the food stores. They reassured him countless times; but he could not believe them, and pried [9] cunningly [10] about the lazaret [11] to see with his own eyes.

It was noticed that the man was getting fat [12]. He grew stouter with each day. The scientific men shook their heads and theorized. They limited the man at his meals, but still his girth [13] increased and he swelled prodigiously under his shirt.

The sailors grinned [14]. They knew. And when the scientific men set a watch on the man they knew. They saw him slouch [15] for'ard [16] after breakfast, and, like a mendicant, with outstretched palm [17], accost a sailor. The sailor grinned and passed him a fragment of sea biscuit [18].

---

1. **bunk :** *couchette* (dans un bateau).
2. **to stream :** *couler à flots, ruisseler.*
3. **wasted :** *dévasté, ravagé ; amaigri* (corps), *décharné, affaibli.* De **to waste** 1) *gâcher, gaspiller, épuiser ;* 2) *dépérir.*
4. **to babble :** *bavarder, babiller, parler sans se contrôler.*
5. **southern :** △ pron. **south** [sauθ] mais **southern** ['sʌðərn].
6. **grove :** *bouquet d'arbre, bosquet.*
7. **to gloat (on, over something) :** *couver des yeux, regarder avec délectation, avec passion, avec un plaisir mauvais.*
8. **sane :** distinguer de **healthy**, *en bonne santé physique,* ou **sound** (**safe and sound**, *sain et sauf*).
9. **to pry :** *fureter, fouiller, « fourrer son nez dans ».*
10. **cunningly :** de **cunning**, *rusé, malin.*
11. **lazaret :** espace dans l'entrepont d'un navire, utilisé comme réserve.

Trois semaines plus tard l'homme, allongé sur une couchette du baleinier *Bedford*, ses joues décharnées inondées de larmes, racontait qui il était et ce qu'il avait enduré. Il faisait aussi des allusions incohérentes à sa mère, au climat ensoleillé du sud de la Californie, et à une maison au milieu des orangeraies et des fleurs.

Il ne fallut ensuite que quelques jours pour qu'il partage la table des hommes de science et des officiers du bord. Il dévorait des yeux l'abondance de nourriture et la regardait avec angoisse disparaître dans la bouche des autres. A chaque bouchée engloutie, un profond regret se lisait dans son regard. Il était tout à fait sain d'esprit, et pourtant il détestait ces hommes à l'heure des repas. Il était hanté par la peur que la nourriture vînt à manquer. Il se renseignait sur les réserves auprès du cuisinier, du garçon de cabine et du capitaine. Ils le rassurèrent d'innombrables fois mais il ne parvenait pas à les croire et inspectait d'un air rusé le contenu de la soute à provisions pour en avoir le cœur net.

L'homme grossissait de façon visible. Il devenait chaque jour plus corpulent. Les hommes de science hochèrent la tête et émirent des théories. Ils réduisirent ses rations mais son tour de taille continuait d'augmenter et sa poitrine s'enflait prodigieusement sous sa chemise.

Les marins souriaient d'un air entendu. Et quand les hommes de science eurent surveillé ses allées et venues, ils comprirent eux aussi. Ils le virent se diriger lourdement vers l'avant après le petit déjeuner et, tel un mendiant, paume tendue, accoster un marin. Le marin sourit et lui donna un morceau de biscuit.

---

12. **fat :** △ pour *grossir* au sens de prendre du poids, **to put on weight** (contraire, **to lose weight**, *maigrir*) et non **to get fat**, qui a une connotation déplaisante.
13. **girth :** *circonférence, tour* (de taille).
14. **to grin :** 1) *grimacer ;* 2) *avoir un large sourire.* **A grin :** 1) *une grimace, un rictus,* 2) *un large sourire, un sourire épanoui.*
15. **to slouch :** *se tenir de façon négligée, marcher en traînant les pieds, le dos courbé.*
16. **for'ard :** contraction de **forward** (prononciation maritime).
17. **palm :** △ pron. [pa:m]. **l** non prononcé ; cf. **calm.**
18. **biscuit :** △ pron. ['biskit].

He clutched[1] it avariciously, looked at it as a miser[2] looks at gold, and thrust it into his shirt bosom[3]. Similar were the donations from other grinning sailors.

The scientific men were discreet. They let him alone. But they privily examined[4] his bunk. It was lined with hardtack[5]; the mattress was stuffed with hardtack; every nook and cranny[6] was filled with hardtack. Yet he was sane. He was taking precautions against another possible famine – that was all. He would recover from it, the scientific men said; and he did, ere the *Bedford's* anchor[7] rumbled[8] down in San Francisco Bay.

---

1. **to clutch** : *saisir, étreindre.* **To clutch at something**, *essayer de s'accrocher, de se raccrocher à.*
2. **miser** : △ pron. ['maizər].
3. **bosom** : 1) *giron, sein ;* 2) *devant* d'un corsage, d'une chemise.
4. **to examine** : △ pron. [ig'zæmin]. Cf. **to determine** [di'tərmin].
5. **hardtack** : *biscuit sec sans sel* qui pouvait se conserver pendant de longs voyages en mer.
6. **nook and cranny** : **nook,** *coin, recoin ;* **cranny,** *lézarde, fente, fissure.*
7. **anchor** :. △ pron. ['æŋkər].
8. **to rumble** : *émettre un bruit sourd, de roulement, un grondement .*

L'homme s'en saisit avec cupidité, le regardant comme un avare contemple son or, et le glissa sous sa chemise. Il obtint des dons identiques de la part d'autres marins amusés.

Les hommes de science furent discrets. Ils le laissèrent tranquille. Mais ils examinèrent sa couchette en son absence. Elle était tapissée de biscuits de mer ; le matelas en était bourré ; le moindre recoin contenait des biscuits de mer. Et pourtant l'homme n'était pas fou. Il ne faisait que se prémunir contre le retour éventuel de la faim — voilà tout. Il s'en remettrait, dirent les hommes de science ; et c'est ce qu'il fit, avant que le *Bedford* ne jette l'ancre dans la baie de San Francisco.

Révisions

Vous avez rencontré dans la nouvelle que vous venez de lire l'équivalent des expressions françaises suivantes.

Vous en souvenez-vous ?

1. Je me suis foulé la cheville.
2. Les caribous étaient à portée de carabine.
3. Il était très las et souhaitait se reposer.
4. Il savait que ni grenouilles ni vers n'existaient si loin au nord.
5. Son cœur martelait sa poitrine.
6. Il réussit à repérer les points cardinaux.
7. Le navire était à l'ancre au milieu de la mer éclatante.
8. Il remonta sa montre et resta étendu là jusqu'au matin.
9. La déception était aussi amère que s'il s'était vraiment attendu à trouver la cartouche.
10. Pendant toute la nuit il entendit la toux du loup malade.
11. Le navire n'était pas éloigné de plus de quatre miles.
12. Depuis le pont du baleinier, ils remarquèrent un étrange objet sur le rivage.
13. Ils le laissèrent tranquille.
14. Sa voix ne produisait qu'un chuchotement enroué.
15. C'était la piste d'un homme qui se traînait à quatre pattes.

1. I've sprained my ankle.
2. The caribou were within rifle range.
3. He was very weary and wished to rest.
4. He knew that neither frogs nor worms existed so far north.
5. His heart was pounding against his chest.
6. He succeeded in locating the points of the compass.
7. The ship was lying at anchor in the midst of the shining sea.
8. He wound his watch and lay there until morning.
9. The disappointment was as bitter as though he had really expected to find the cartridge.
10. Throughout the night he heard the cough of the sick wolf.
11. The ship was no more than four miles away.
12. From the deck of the whaleship they noticed a strange object on the shore.
13. They let him alone (They left him alone).
14. His voice achieved no more than a hoarse whisper.
15. It was the trail of a man who dragged himself on all fours.

To Build a Fire

Construire un feu

Day had broken cold and gray, exceedingly cold and gray, when the man turned aside from the main Yukon [1] trail and climbed the high earth-bank, where a dim [2] and little-travelled trail led eastward through the fat spruce [3] timberland [4]. It was a steep bank, and he paused for breath at the top, excusing the act to himself by looking at his watch. It was nine o'clock. There was no sun nor hint [5] of sun, though there was not a cloud in the sky. It was a clear day, and yet there seemed an intangible pall [6] over the face of things, a subtle [7] gloom [8] that made the day dark, and that was due to the absence of sun. This fact did not worry the man. He was used to the lack of sun [9]. It had been days since [10] he had seen the sun, and he knew that a few more days must [11] pass before that cheerful [12] orb, due south, would just peep [13] above the sky line and dip [14] immediately from view.

The man flung a look back along the way he had come. The Yukon lay a mile wide and hidden under three feet of ice. On top of this ice were as many feet of snow. It was all pure white, rolling in gentle undulations where the ice jams [15] of the freeze-up had formed. North and south, as far as his eye could see, it was unbroken white, save for a dark hairline [16] that curved and twisted from around the spruce-covered island to the south, and that curved and twisted away into the north, where it disappeared behind another spruce-covered island. This dark hairline was the trail – the main trail – that led south five hundred miles to the Chilcoot Pass, Dyea, and salt water [17];

---

1. **Yukon :** fleuve de 3 290 km dont la source est au nord-est du Canada et qui traverse l'Alaska vers le nord-est pour se jeter dans la mer de Bering.
2. **dim :** 1) *faible, pâle* (lumière) ; 2) *imprécis, vague, incertain, indistinct.*
3. **spruce :** *épicéa, sapin.*
4. **timberland :** *zone couverte de forêts.* **Timber :** *bois sur pied, bois de construction.*
5. **hint :** *allusion, indication, conseil, « tuyau ».* No hint of..., *pas trace de.*
6. **pall :** 1) *poêle ; drap mortuaire ;* 2) *voile, rideau* (de fumée, produisant une impression sinistre).
7. **subtle :** Δ pron. ['sʌtl].
8. **gloom :** 1) *ténèbres, obscurité ;* 2) *tristesse, pessimisme.* **The outlook is gloomy,** *l'avenir est sombre.*

Le jour s'était levé, froid et gris, très froid et très gris, lorsque l'homme quitta la piste principale du Yukon pour grimper un talus escarpé d'où une piste faiblement tracée et peu fréquentée s'enfonçait vers l'ouest à travers l'épaisse forêt d'épicéas. La pente était raide et il s'arrêta au sommet, reprenant son souffle sous le prétexte de regarder l'heure à sa montre. Il était neuf heures. On ne voyait pas le soleil et rien n'indiquait sa présence, malgré un ciel sans nuages. Le temps était clair, et pourtant un voile impalpable semblait recouvrir la surface de toutes choses, subtiles ténèbres qui assombrissaient le jour, et dues à l'absence du soleil. L'homme ne s'en inquiétait pas. Il était habitué. Cela faisait des jours qu'il n'avait pas vu le soleil, et il savait que quelques jours s'écouleraient encore avant que l'astre éclatant ne fasse une brève apparition au-dessus de l'horizon, plein sud, avant de disparaître à nouveau.

L'homme balaya du regard la direction d'où il venait. Le Yukon, large d'un kilomètre et demi, était caché sous trois pieds de glace, elle-même recouverte d'une couche de neige de la même épaisseur. Le tout était d'un blanc immaculé, avec de molles ondulations là où le gel du fleuve avait fait s'accumuler les glaçons. Au nord et au sud, aussi loin que portait son regard, ce n'était que blancheur ininterrompue, à l'exception d'une mince ligne sombre qui, au sud, s'incurvait pour contourner l'île couverte de sapins et qui continuait sa course sinueuse vers le nord où elle disparaissait derrière une autre île recouverte de sapins. C'était la piste, la piste principale qui, à huit cents kilomètres au sud, menait au col de Chilcoot, à Dyea, et à l'océan.

---

9. **the lack of sun :** m. à m. *le manque de soleil.*
10. **it had been days since :** en américain, on dit **it has been days since I saw him,** *cela fait des jours que je ne l'ai vu,* et donc **it had been days since I had seen him,** *cela faisait des jours que je ne l'avais vu.* Δ (G.B.) : **it is days since..., it was days since...**
11. **must :** il s'agit ici du prétérit (rare). M. à m. *devraient s'écouler.*
12. **cheerful :** *gai, réconfortant, de bonne humeur.*
13. **to peep :** 1) *regarder à la dérobée ;* 2) *poindre, émerger.*
14. **to dip :** *plonger ; baisser subitement.*
15. **ice jam :** le mot technique est *embâcle ;* **jam :** *encombrement, embouteillage ; foule, presse.*
16. **hairline :** *ligne, trace de l'épaisseur d'un cheveu.*
17. **salt water :** *eau salée.* Cf. **fresh water,** *eau douce.*

and that led north seventy miles to Dawson [1], and still on to the north a thousand miles to Nulato, and finally to St. Michael, on Bering Sea, a thousand miles and half a thousand more.

But all this – the mysterious, far-reaching [2] hairline trail, the absence of sun from the sky, the tremendous cold, and the strangeness and weirdness [3] of it all –made no impression on the man. It was not because he was long used to it. He was a newcomer in the land, a *chechaquo* [4], and this was his first winter. The trouble with him was that he was without imagination. He was quick and alert in the things of life, but only in the things, and not in the significances. Fifty degrees [5] below zero meant eighty-odd degrees [6] of frost. Such fact impressed him as being cold and uncomfortable, and that was all. It did not lead him to meditate upon his frailty as a creature of temperature, and upon man's frailty in general, able only to live within certain narrow limits of heat and cold; and from there on it did not lead him to the conjectural field [7] of immortality and man's place in the universe. Fifty degrees below zero stood for a bite of frost that hurt and that must be guarded [8] against by the use [9] of mittens, ear flaps [10], warm moccasins, and thick socks. Fifty degrees below zero was to him just precisely fifty degrees below zero. That there should be anything more to it than that was a thought that never entered [11] his head.

As he turned to go on, he spat [12] speculatively [13]. There was a sharp, explosive crackle that startled him. He spat again.

---

1. **Dawson :** ville créée en 1898 au nord-est du Canada, sur le Yukon, au moment de la ruée vers l'or du Klondike. Atteignit 35 000 habitants pour retomber à 800 quelques années plus tard.
2. **far-reaching :** *qui va loin ; de grande portée.*
3. **weirdness :** adj. + **ness** donne nom ; **weird,** *étrange, insolite, surnaturel.*
4. **chechaquo :** *pied tendre.* Mot indien chinook signifiant *nouveau venu.*
5. **fifty degrees below zero :** il s'agit de degrés Fahrenheit. Le point de gel est à 32° F. Donc à –50° F., on est à 82° F. (« *environ 80* ») au-dessous du gel (ou zéro degré Celsius). Conversion : Celsius en Fahrenheit : multiplier par 9/5 et ajouter 32 ; en Celsius : retrancher 32 et multiplier par 5/9. Ici on est à

Vers le nord elle conduisait à Dawson, à cent kilomètres de là, puis à Nulato, à mille cinq cents kilomètres, pour aboutir à St Michael, situé à deux mille cinq cents kilomètres sur la mer de Bering.

Mais tout cela, le trait mystérieux de la piste interminable, le ciel sans soleil, tout ce monde étrange et insolite, n'impressionnait pas le voyageur. Non qu'il y fût depuis longtemps habitué. C'était un nouveau venu dans ces régions, un *chechaquo* dont c'était le premier hiver. L'ennui avec lui c'est qu'il manquait d'imagination. Il était rapide à saisir les choses de la vie, mais seulement les choses, et non leur signification. Cinquante degrés Fahrenheit au-dessous de zéro signifiaient environ quatre-vingts degrés au-dessous du point de gel. Ce qui lui paraissait froid et peu confortable, sans plus. Cela ne le conduisait pas à méditer sur sa fragilité en tant que créature à sang chaud, ou, plus généralement, sur la fragilité de l'être humain qui ne peut survivre que dans des limites étroites de chaud et de froid ; encore moins à des considérations philosophiques sur l'immortalité et la place de l'homme dans l'univers. Cinquante degrés au-dessous de zéro correspondaient à un froid à la morsure douloureuse dont il fallait se protéger en utilisant des mitaines, une casquette à oreillettes, de chauds mocassins et d'épaisses chaussettes. Cinquante degrés au-dessous de zéro ne signifiaient pour lui que cinquante degrés au-dessous de zéro. Que cela pût représenter autre chose ne lui serait jamais venu à l'esprit.

Se retournant pour repartir, il cracha d'un air absent. Un craquement sec, semblable à une explosion, le fit sursauter. Il cracha à nouveau.

$$(-50) + (-32) = -82 \times \frac{5}{9} = -44° \text{ C.}$$

Dans la traduction nous avons gardé les degrés F. pour mieux suivre le raisonnement de l'auteur.

6. **eighty-odd degrees :** cf. **twenty-odd men,** *environ vingt hommes.*

7. m. à m. *ne le conduisait pas jusqu'au domaine conjectural.*

8. **to guard :** △ pron. [ga:rd]. Le **u** n'est pas prononcé ; de même dans **guardian** ['ga:rdiən], **guarantee** ['gærən'ti:].

9. **use :** △ pron. **to use** [ju:z], mais **the use** [ju:s].

10. **flap :** *rabat, pan, abattant, patte.*

11. **to enter :** au sens d'*entrer dans un lieu,* se construit avec un complément direct.

12. **to spit, spat, spat.**

13. **speculatively :** *d'un air méditatif.*

And again, in the air, before it could fall to the snow, the spittle crackled. He knew that at fifty below spittle crackled on the snow, but this spittle had crackled in the air. Undoubtedly [1] it was colder than fifty below – how much colder he did not know. But the temperature did not matter. He was bound for [2] the old claim [3] on the left fork of Henderson Creek [4], where the boys were already. They had come over across the divide from the Indian Creek country, while he had come the roundabout way to take a look at the possibilities of getting out logs in the spring from the islands in the Yukon. He would be in to camp by six o'clock; a bit after dark, it was true, but the boys would be there, a fire would be going, and a hot supper [5] would be ready. As for lunch, he pressed his hand against the protruding bundle under his jacket. It was also under his shirt, wrapped up in a handkerchief and lying against the naked [6] skin. It was the only way to keep the biscuits [7] from freezing. He smiled agreeably to himself as he thought of those biscuits, each cut open and sopped [8] in bacon grease [9], and each enclosing a generous slice of fried bacon.

He plunged in among the big spruce trees. The trail was faint [10]. A foot of snow had fallen since the last sled [11] had passed over, and he was glad he was without a sled, travelling [12] light. In fact, he carried nothing but the lunch wrapped in the handkerchief. He was surprised, however, at [13] the cold. It certainly was cold [14], he concluded, as he rubbed his numb [15] nose and cheekbones with his mittened hand.

---

1. **undoubtedly** [ʌn'dautidli] : le **b** n'est pas prononcé. Cf. **doubt** [daut], **doubtless**.

2. **to be bound for** : *faire route vers.* S'emploie notamment pour un navire.

3. **claim** : 1) *revendication, réclamation* ; 2) (U.S. et Australie) *concession minière.*

4. **creek** : *ruisseau, affluent* **(tributary)** d'une rivière.

5. **supper** : *dernier repas de la journée, moins copieux ou moins formel qu'un dîner* **(dinner)**.

6. **naked** : △ pron. ['neikid].

7. **biscuit** : △ pron. ['biskit]. Cf. **circuit** ['se:rkit].

8. **to sop** : *tremper* (du pain). **A sop** : 1) *un morceau de pain trempé* ; 2) *un don propitiatoire, un pot-de-vin.*

9. **grease** : △ pron. [gri:s].

10. **faint** : *faible, vague, peu précis, peu accusé.*

Et derechef, en l'air, avant de tomber sur la neige, la salive cré-
pita. Il savait qu'à moins cinquante degrés la salive gèle au contact
de la neige, mais elle venait de geler en l'air. Sans aucun doute,
il faisait au-dessous de moins cinquante. Combien au-dessous, il
n'en savait rien. Mais la température importait peu. Il se rendait
à la vieille concession située sur le bras gauche du Henderson
Creek, où les gars se trouvaient déjà. Ils avaient traversé la ligne
de partage des eaux en venant du bassin d'Indian Creek, alors
qu'il avait fait un détour pour aller étudier la possibilité, au
printemps, de faire venir des bûches des îles du Yukon. Il arriverait au camp pour six heures ; un peu après la tombée du jour,
certes, mais les gars seraient là, il y aurait un bon feu, et un souper chaud qui l'attendrait. Quant au déjeuner... Il palpa un paquet
qui gonflait sa veste. Il était glissé sous sa chemise, enveloppé dans
un mouchoir, au contact de sa peau nue. C'était la seule façon de
préserver les biscuits du gel. Il sourit avec satisfaction en pen-
sant aux biscuits, ouverts en deux et imbibés de graisse de lard,
qui contenaient chacun une généreuse tranche de bacon frit.

Il s'enfonça sous les grands sapins. La piste était peu visible.
Un pied de neige était tombé depuis le passage du dernier traîneau, et il se réjouit d'être à pied, et de voyager léger. En fait,
il ne transportait que son déjeuner enveloppé dans un mouchoir.
Cependant, la température le surprenait. Il faisait vraiment très
froid, conclut-il, en frottant son nez et ses pommettes engourdies
d'une main protégée par une mitaine.

---

11. **sled :** aussi **sledge** (forme préférée en G.B.) et **sleigh**. Même
racine que **to slide**, *glisser*.
12. **travelling :** orthographe G.B. En américain moderne,
traveling.
13. **surprised at the cold :** **at** avec les verbes indiquant la surprise : **to be amazed** *(stupéfié)*, **astounded** *(abasourdi)*, **astonished**
(étonné) **at something**.
14. **it certainly was cold :** *assurément il faisait froid*. Placé avant
was, certainly donne du poids à l'affirmation.
15. **numb :** △ pron. [nʌm]. **b** non prononcé.

He was a warm-whiskered [1] man, but the hair [2] on his face did not protect the high cheek-bones and the eager nose that thrust [3] itself aggressively into the frosty air.

At the man's heels trotted a dog, a big native [4] husky, the proper wolf dog, gray-coated and without any visible or temperamental [5] difference from its brother, the wild wolf. The animal was depressed by the tremendous cold. It knew that it was no time for travelling. Its instinct told it a truer tale [6] than was told to the man by the man's judgment. In reality, it was not merely colder than fifty below zero; it was colder than sixty below, than seventy below. It was seventy-five below zero. Since the freezing point is thirty-two above zero, it meant that one hundred and seven degrees of frost obtained [7]. The dog did not know anything about thermometers. Possibly in its brain [8] there was no sharp consciousness of a condition of very cold such as was in the man's brain. But the brute [9] had its instinct. It experienced a vague but menacing apprehension that subdued [10] it and made it slink along at the man's heels, and that made it question [11] eagerly every unwonted movement of the man as if expecting him to go into camp or to seek shelter somewhere and build a fire. The dog had learned fire, and it wanted fire, or else to burrow [12] under the snow and cuddle [13] its warmth away from the air.

The frozen moisture [14] of its breathing had settled [15] on its fur in a fine powder of frost, and especially were its jowls [16], muzzle, and eyelashes [17] whitened by its crystalled breath [18].

---

1. **warm-whiskered** : *aux chauds favoris ;* construction : adj. + nom + **ed** du type **broad-shouldered,** *aux larges épaules.*

2. **hair** : au sens de *poil,* ici collectif sg. mais peut se mettre au pluriel. **The hairs of the beard,** *les poils de la barbe.*

3. **eager** : *ardent, passionné, avide, impatient ;* **eager to** + v., *désireux de* + verbe. **To thrust :** *lancer, projeter.*

4. **native** : *indigène,* nom et adjectif.

5. **temperamental :** 1) *du tempérament, constitutionnel ;* 2) *capricieux, qui a des sautes d'humeur.*

6. **told it a truer tale :** m. à m. *lui disait une histoire plus vraie.*

7. **to obtain :** peut s'employer comme ici au sens absolu de *prévaloir, avoir cours.*

8. **in its brain :** *dans son cerveau, sa cervelle.*

9. **brute :** désigne des êtres (animaux ou hommes) dénués de moyens rationnels.

Ses favoris abondants ne suffisaient pas à protéger ses pommettes saillantes ni son nez volontaire qui fendait l'air glacé.

Sur ses talons trottait un chien esquimau, un grand chien de traîneau, chien-loup au vrai sens du terme, à la fourrure grise, et que rien dans son allure ou son comportement ne différenciait de son frère, le loup sauvage. L'animal était déprimé par l'intensité du froid. Il savait que ce n'était pas le moment de voyager. Son instinct le guidait plus sûrement que ne le faisait le jugement de l'homme. En réalité, il ne faisait pas seulement plus froid que cinquante au-dessous de zéro ; on avait dépassé les soixante et même les soixante-dix au-dessous de zéro ; il faisait soixante-quinze au-dessous de zéro. Puisqu'il gèle à trente-deux au-dessus de zéro, cela signifiait qu'on en était à cent sept degrés au-dessous du point de gel. Le chien ne savait rien des thermomètres. Peut-être n'avait-il pas de conscience claire de l'état de grand froid, telle qu'elle pouvait exister dans l'esprit de l'homme. Mais la bête avait son instinct. Elle ressentait une appréhension vague mais tenace qui la subjuguait et lui faisait courber l'échine sur les talons de son maître et qui la mettait en alerte à chaque mouvement inhabituel de ce dernier, comme si elle s'attendait à ce qu'il rentre au campement ou qu'il cherche à s'abriter quelque part pour construire un feu. Le chien avait appris le feu, il voulait du feu ou alors s'enterrer sous la neige pour se blottir et garder sa chaleur à l'abri de l'air.

Le gel avait transformé son haleine en une fine poudre qui se déposait sur sa fourrure, et recouvrait en particulier de ses blancs cristaux ses mâchoires, son museau et le bord de ses paupières.

---

10. **to subdue** : *subjuguer, maîtriser, vaincre, dompter ; aussi atténuer, adoucir.*

11. **to question** : 1) *interroger ;* 2) *s'interroger sur, mettre en doute, en cause, suspecter, contester ;* 3) *soumettre à un interrogatoire.*

12. **to burrow** : *fouiller, creuser un terrier* (**a burrow**).

13. **to cuddle** : 1) *se blottir, se pelotonner ;* 2) *serrer tendrement dans ses bras.*

14. **moisture** : *humidité (par exemple sous forme de buée).*

15. **to settle** : 1) *s'installer ;* 2) *se déposer.*

16. **were its jowls** : *inversion littéraire.* **Jowl** : 1) *mâchoire ;* 2) *bajoue, fanon (de bœuf), jabot (d'oiseau).*

17. **eyelash** : *cil.*

18. *m. à m. et particulièrement étaient ses mâchoires, son museau et ses cils blanchis par son haleine cristallisée.*

The man's red beard [1] and mustache were likewise frosted, but more solidly [2], the deposit taking the form of ice and increasing with every warm, moist breath he exhaled [3]. Also, the man was chewing tobacco, and the muzzle [4] of ice held his lips so rigidly that he was unable to clear [5] his chin when he expelled [6] the juice. The result was that a crystal beard of the color and solidity of amber was increasing its length on his chin. If he fell down it would shatter itself, like glass, into brittle [7] fragments. But he did not mind the appendage. It was the penalty [8] all tobacco chewers paid in that country, and he had been out [9] before in two cold snaps [10]. They had not been so cold as this, he knew, but by the spirit [11] thermometer at Sixty Mile he knew they had been registered at fifty below and at fifty-five.

He held on through the level stretch [12] of woods for several miles, crossed a wide flat of nigger heads [13], and dropped down a bank to the frozen bed of a small stream. This was Henderson Creek, and he knew he was ten miles from the forks. He looked at his watch. It was ten o'clock. He was making four miles an hour, and he calculated that he would arrive at the forks at half-past twelve. He decided to celebrate that event by eating his lunch there.

The dog dropped in again at his heels, with a tail drooping [14] discouragement, as the man swung along [15] the creek bed. The furrow of the old sled trail was plainly visible, but a dozen inches of snow covered the marks of the last runners. In a month no man had come up or down that silent creek.

---

1. **beard :** △ pron. ['biərd].
2. **solidly :** de **solid,** *solide* au sens de « tout d'une pièce ». *Solide* au sens de « résistant, durable », sera plutôt traduit par **strong.**
3. m. à m. *le dépôt se transformant en glace et augmentant avec chacune des expirations chaudes et humides qu'il exhalait.*
4. **muzzle :** 1) *museau ;* 2) *muselière.* Ici *la gaine de glace qui enserre le bas du visage de l'homme.*
5. **to clear :** *franchir.* **To clear a hurdle,** *franchir une haie* (course), *une difficulté.*
6. **to expel :** *expulser.*
7. **brittle :** *fragile, cassant.*
8. **penalty :** *peine, pénalité, amende.*
9. m. à m. *il s'était trouvé dehors, de sortie.*
10. **cold snap :** *courte vague de froid, coup de froid.*

La barbe et la moustache rousses de l'homme étaient également givrées, mais de façon plus compacte, la chaleur humide de son haleine se condensant en une couche de glace qui s'épaississait à chacune de ses expirations. De plus, il mâchonnait une chique, et la carapace de glace enserrait si fermement ses lèvres qu'il ne pouvait cracher le jus de tabac au-delà de son menton. Il s'ensuivait qu'une barbe de cristaux, de la couleur et de la dureté de l'ambre, s'allongeait sous son visage. Qu'il tombe et elle se briserait, comme du verre, en mille morceaux. Mais il n'avait cure de cet appendice. C'était le prix à payer pour tous les chiqueurs sous ces latitudes, et il avait déjà connu deux offensives du froid. Certes, elles n'avaient pas été aussi violentes que celle-ci, mais grâce au thermomètre à alcool de Sixty Mile il savait qu'elles avaient atteint cinquante et cinquante-cinq degrés Fahrenheit au-dessous de zéro.

Il continua pendant plusieurs miles à avancer sur le plateau boisé, traversa une vaste dépression parsemée de têtes-de-nègres, et descendit une pente qui menait au lit gelé d'un petit cours d'eau. C'était Henderson Creek, et il sut qu'il était à dix miles de la bifurcation. Il jeta un coup d'œil à sa montre. Il était dix heures. Il parcourait quatre miles à l'heure, et calcula qu'il arriverait à la fourche à midi et demi. Il décida de célébrer l'événement en y prenant son déjeuner.

Le chien se remit sur ses talons, la queue basse de découragement, tandis que l'homme s'engageait d'un pas vif le long du lit du ruisseau. Le sillon de la vieille piste de traîneau était encore nettement visible, mais la trace laissée par les patins était recouverte d'une douzaine de pouces de neige. Cela faisait un mois que personne n'avait remonté ou descendu le ruisseau silencieux.

---

11. **spirit** : 1) *esprit, âme* ; 2) (généralement pluriel), *spiritueux, alcool.*

12. **stretch** : *étendue*. **To stretch**, *tendre, s'étendre, (s')étirer, (s')allonger.*

13. **nigger heads** : petit monticule ou touffe de végétation (*laîche, carex*) de couleur foncée qui se trouve dans le Grand Nord (Alaska).

14. **tail drooping** : *qui lui faisait baisser la queue*. **To droop** : *se pencher, se faner* (fleur), *pendre* (moustache, etc.).

15. **to swing (swung, swung) along** : *marcher d'un pas décidé, rythmé*. **Along** indique le mouvement vers l'avant. **To swing**, *(se) balancer.*

The man held steadily on [1]. He was not much given to [2] thinking, and just then particularly he had nothing to think about save that he would eat lunch at the forks and that at six o'clock he would be in camp with the boys. There was nobody to talk to [3]; and, had there been [4], speech would have been impossible because ot the ice muzzle on his mouth. So he continued monotonously to chew tobacco and to increase the length of his amber beard.

Once in a while the thought reiterated itself that it was very cold and that he had never experienced [5] such cold. As he walked along he rubbed his cheekbones and nose with the back of his mittened hand. He did this automatically, now and again changing hands [6]. But, rub as he would [7], the instant he stopped his cheekbones went numb, and the following instant the end of his nose went numb. He was sure to frost [8] his cheeks; he knew that, and experienced a pang [9] of regret that he had not devised [10] a nose strap [11] of the sort Bud [12] wore in cold snaps. Such a strap passed across the cheeks, as well, and saved them. But it didn't matter much, after all. What were frosted cheeks? A bit painful, that was all; they were never serious.

Empty as [13] the man's mind was of thoughts, he was keenly observant, and he noticed the changes in the creek, the curves and bends and timber jams [14], and always he sharply noted where he placed his feet. Once, coming around a bend, he shied [15] abruptly, like a startled horse, curved away from the place where he had been walking, and retreated several paces back along the trail.

---

1. **on :** postposition, indique la continuation d'un mouvement.
2. **given to :** *enclin à, porté à, qui s'adonne à.*
3. **nobody to talk to :** nobody to whom to talk. Suppression du relatif et rejet de la préposition.
4. **had there been :** cf. there had been (somebody to talk to).
5. **to experience :** distinguer entre **to experience,** *faire l'expérience de* et **to experiment,** *faire une expérience, expérimenter.* De même pour **experience,** *expérience acquise,* et **experiment,** *expérimentation, expérience au sens scientifique, essai.*
6. **changing hands :** remarquez le pluriel. Cf. **to change jobs,** *changer d'emploi.*
7. **rub as he would : as** peut indiquer une concession. Cf. **try as he may,** *quels que soient ses efforts,* **surprised as she was** (lit. **though she was**), *malgré sa surprise.*
8. **to frost :** *geler ; givrer.* Moins fort que **to freeze, froze, frozen.**

L'homme continuait sa marche régulière. Il n'était guère porté à la méditation, et à ce moment précis, il n'avait rien sur quoi fixer sa pensée, sinon qu'il allait déjeuner à la fourche et qu'à six heures il serait au camp avec les gars. Il n'y avait personne à qui parler et, si tel avait été le cas, la conversation aurait été impossible à cause de la carapace de glace qui lui enserrait la bouche. Aussi continuait-il à chiquer machinalement son tabac et à allonger sa barbe d'ambre.

De temps en temps, l'idée s'imposait à lui qu'il faisait très froid, qu'il n'avait jamais connu un tel froid. Tout en marchant, il se frottait les pommettes et le nez du revers d'une main gantée d'une mitaine. C'était un geste automatique, tantôt d'une main, tantôt de l'autre. Mais il avait beau frotter, ses pommettes redevenaient insensibles dès qu'il arrêtait, et l'instant d'après il ne sentait plus le bout de son nez. Il allait sûrement avoir les joues gercées, il le savait, et ressentait un vif regret de ne pas s'être équipé d'une sangle de protection nasale comme celle que portait Bud par grand froid. Une telle sangle passait également sur les joues et les protégeait. Mais ça n'avait pas grande importance, après tout. Qu'était-ce d'avoir les joues gercées ? Un peu douloureux, mais jamais bien grave.

Si vide de pensées que fût son esprit, l'homme était très observateur, et il remarquait les modifications du cours d'eau, ses méandres, ses coudes, ses enchevêtrements de bois mort, tout en faisant toujours très attention à l'endroit où il posait le pied. Une fois, au sortir d'une courbe, il fit un brusque écart, comme un cheval effrayé, contourna sa trace et recula de plusieurs pas.

---

9. **pang** : *coup au cœur, angoisse, sensation* ou *émotion soudaine et vive* (douleur, remords, etc.).
10. **to devise** : *concevoir, inventer, imaginer.*
11. **strap** : *courroie, sangle, attache.*
12. **Bud** : cette référence à une personne non connue du lecteur donne l'impression de pénétrer les pensées intimes du voyageur.
13. **empty as** : **as** avec son sens concessif. (De même **empty though the man's mind was**...)
14. **timber jam** : *enchevêtrement de bûches.* To jam : *presser, coincer, écraser, bloquer.*
15. **to shy** : *se dérober, broncher, faire un écart.* Shy : *timide, peureux, ombrageux* (animal).

The creek he knew [1] was frozen clear to the bottom – no creek could contain water in that arctic winter – but he knew also that there were springs that bubbled [2] out from the hillsides and ran along under the snow and on top the ice of the creek. He knew that the coldest snaps never froze these springs, and he knew likewise their danger. They were traps. They hid [3] pools of water under the snow that might be three inches [4] deep, or three feet [5]. Sometimes a skin [6] of ice half an inch thick covered them, and in turn was covered by the snow. Sometimes there were alternate layers [7] of water and ice skin, so that when one broke through he [8] kept on breaking through for a while, sometimes wetting himself to the waist.

That was why he had shied in such panic. He had felt the give [9] under his feet and heard the crackle of a snow-hidden ice skin. And to get his feet wet in such a temperature meant [10] trouble and danger. At the very least it meant delay, for he would be forced to stop and build a fire, and under its protection to bare [11] his feet while he dried his socks and moccasins. He stood and studied the creek bed and its banks, and decided that the flow of water came from the right. He reflected awhile, rubbing his nose and cheeks, then skirted [12] to the left, stepping gingerly [13] and testing the footing for each step. Once clear of [14] the danger, he took a fresh chew of tobacco and swung along at his four-mile gait [15].

In the course of the next two hours [16] he came upon several similar traps [17].

---

1. **the creek he knew was** : he knew that the creek was, he knew the creek to be.
2. **to bubble** : *faire des bulles, bouillonner, pétiller.* A bubble, *une bulle.*
3. **they hid** : de **to hide, hid, hidden** ; m. à m. *elles cachaient.*
4. **inch** : 2,54 cm.
5. **foot** : 30,48 cm.
6. **skin** : 1) *peau, épiderme* ; 2) *peau d'animal* ; 3) *pellicule, croûte.*
7. **alternate layers** : *couches, strates alternées.*
8. **he kept** : cette reprise de **one** (**when one broke through**) par **he**, bien que fréquente, est considérée comme incorrecte par les puristes. Il faudrait reprendre **one** (**one kept**).
9. **the give** : substantif correspondant à **to give**, *céder* (pour une surface sous un poids, etc.).

Il savait que le ruisseau était gelé jusqu'au fond — aucun ruisseau ne pouvait contenir de l'eau pendant cet hiver arctique —, mais il savait aussi que des sources sortaient du sol des collines et coulaient sous la neige pour atteindre la surface gelée du cours d'eau. Il savait qu'elles ne gelaient jamais, même par les froids les plus rigoureux, et il connaissait également leur danger. C'étaient de véritables pièges. Elles formaient sous la neige des poches d'eau qui pouvaient aller de trois pouces à trois pieds de profondeur. Parfois, une pellicule de glace d'un demi-pouce les recouvrait, à son tour recouverte de neige. Parfois plusieurs couches d'eau et de glace se superposaient, si bien qu'une fois que le pied avait crevé la surface, on continuait de s'enfoncer plus avant, et il arrivait qu'on soit trempé jusqu'à la ceinture.

C'est pourquoi il avait eu ce mouvement de recul effrayé. Il avait senti que cela cédait sous ses pas et entendu le craquement d'une pellicule de glace masquée par la neige. Et se mouiller les pieds par cette température était source de problèmes et de danger. A tout le moins cela signifiait du retard, car il lui faudrait s'arrêter et construire un feu pour réchauffer ses pieds nus pendant qu'il sécherait ses chaussettes et ses mocassins. Immobile, il étudia le lit et les berges du ruisseau et conclut que l'écoulement d'eau venait de la droite. Il resta pensif quelques instants, se frottant le nez et les joues, puis s'écarta vers la gauche en avançant prudemment, vérifiant la résistance de la glace à chaque pas. Une fois franchi le passage dangereux il s'octroya une nouvelle prise de tabac et reprit son allure, qui lui faisait couvrir quatre miles à l'heure.

Au cours des deux heures suivantes, il rencontra à plusieurs reprises de telles embûches.

---

10. **meant :** Δ pron. **to mean** [mi:n]**, meant, meant** [ment].

11. **to bare :** *mettre à nu, dénuder, découvrir.*

12. **to skirt :** *longer, contourner.* Cf. **skirt,** *jupe,* **outskirsts,** *périphérie, environs.*

13. **gingerly :** *délicatement, avec précaution.* Δ l'adjectif **ginger** a un tout autre sens : *aux cheveux roux.*

14. **clear of :** *à l'écart de.* Cf. **keep clear of...,** *n'approchez pas de, restez à l'écart de.*

15. **gait :** *façon de marcher, marcher, démarche, allure.*

16. **the next two hours :** notez la place de **next,** comme celle de **last** dans **the last three weeks,** *les trois dernières semaines,* etc.

17. **trap :** *piège.*

Usually the snow above the hidden pools had a sunken [1], candied [2] appearance that advertised the danger. Once again, however, he had a close call [3]; and once, suspecting danger, he compelled the dog to go on in front. The dog did not want to go. It hung back until the man shoved [4] it forward, and then it went quickly across the white, unbroken surface. Suddenly it broke through, floundered [5] to one side, and got away to firmer footing [6]. It had wet its forefeet and legs [7], and almost immediately the water that clung [8] to it turned to ice. It made quick efforts to lick the ice off its legs, then dropped down in the snow and began to bite out the ice that had formed between the toes [9]. This was a matter of instinct. To permit the ice to remain would mean sore feet. It did not know this. It merely obeyed [10] the mysterious prompting that arose from the deep crypts of its being. But the man knew, having achieved a judgment on the subject, and he removed the mitten from his right hand and helped tear out the ice particles. He did not expose his fingers more than a minute, and was astonished at the swift numbness that smote [11] them. It certainly was cold. He pulled on the mitten hastily, and beat [12] the hand savagely across his chest.

At twelve o'clock the day was at its brightest. Yet the sun was too far south on its winter journey to clear the horizon. The bulge [13] of the earth intervened between it and Henderson Creek, where the man walked under a clear sky at noon and cast [14] no shadow. At half-past twelve, to the minute, he arrived at the forks of the creek. He was pleased at the speed he had made [15].

---

1. **sunken** : *affaissé, enfoncé.* Cf. to sink, sank, sunk, *s'enfoncer, sombrer, couler.*
2. **candied** : *qui a l'apparence de sucre cristallisé.*
3. **close call** : a narrow escape.
4. **to shove** : △ pron. [ʃʌv].
5. **to flounder** : indique des mouvements gauches, désordonnés et inefficaces ; peut correspondre selon le contexte à *trébucher, patauger, s'empêtrer, cafouiller,* etc.
6. **footing** : *fait de poser les pieds, surface sur laquelle on pose les pieds ; situation* (sociale, etc.).
7. **forefeet and legs** : distinction entre « *pieds antérieurs* » et « *pattes antérieures* » qui passe mal en français.
8. **to cling, clung, clung** : *s'accrocher, s'agripper, s'attacher, adhérer.*
9. **toe** : *orteil,* aussi (ici) *doigt* d'un mammifère à quatre pattes.

Normalement l'affaissement et la cristallisation de la neige au-dessus des poches d'eau prévenaient du danger. Une seconde fois, cependant, il l'échappa belle. Une autre fois, pressentant le piège, il força le chien à passer devant. L'animal ne voulait pas avancer. Il renâcla jusqu'à ce que l'homme le pousse en avant et s'engagea alors rapidement sur la surface blanche et vierge. Soudain il passa au travers, pataugea, sur le flanc, et réussit à gagner un sol plus ferme. Ses pattes de devant étaient trempées et presque instantanément l'eau qui en mouillait les poils se mit à geler. Il se mit aussitôt à se lécher les pattes pour en enlever la glace, puis il s'accroupit dans la neige pour arracher avec ses crocs celle qui s'était formée entre ses griffes. C'est ce que lui dictait son instinct. Laisser la glace, c'était à coup sûr avoir mal aux pattes. L'animal ne le savait pas. Il ne faisait qu'obéir aux mystérieux avertissements qui venaient du tréfonds de son être. L'homme, lui, le savait, ayant réfléchi à la question. Il enleva la mitaine de sa main droite, et aida l'animal à détacher les particules de glace. Ses doigts ne restèrent pas exposés plus d'une minute, et il fut stupéfait de les voir s'engourdir si rapidement. Il faisait décidément froid. Il remit précipitamment la mitaine et se frappa furieusement la main contre la poitrine.

À la mi-journée, la clarté était à son maximum. Pourtant, le soleil était trop loin au sud dans son voyage hivernal pour franchir l'horizon. La rondeur de la terre s'interposait entre lui et Henderson Creek, où l'homme avançait sous le ciel clair de midi sans projeter d'ombre. À midi et demi, à la minute près, il arrivait à la bifurcation du ruisseau. Il était satisfait du temps qu'il avait mis.

---

10. **to obey :** construction directe, **to obey somebody**.
11. **to smite, smote, smitten :** *frapper* (littéraire).
12. **to beat :** v. irrégulier, **to beat, beat, beaten**.
13. **bulge :** *renflement, bombement, gonflement, saillie.* **To bulge :** *se bomber, faire saillie, gonfler.*
14. **to cast, cast, cast :** *jeter, lancer, projeter.*
15. **the speed he had made :** *la vitesse à laquelle il était allé.* Cf. **to make all speed,** *se hâter, faire diligence.*

If he kept it up [1], he would certainly be with the boys by [2] six. He unbuttoned his jacket and shirt and drew forth his lunch. The action consumed no more than a quarter of a minute, yet in that brief moment the numbness laid hold of the exposed [3] fingers. He did not put the mitten on, but, instead [4], struck the fingers a dozen sharp smashes [5] against his leg. Then he sat down on a snow-covered log to eat. The sting [6] that followed upon the striking of his fingers against his leg ceased so quickly that he was startled [7]. He had had no chance to take a bite of biscuit. He struck the fingers repeatedly and returned them to the mitten, baring the other hand for the purpose [8] of eating. He tried to take a mouthful, but the ice muzzle prevented. He had forgotten to build a fire and thaw [9] out. He chuckled at his foolishness, and as he chuckled he noted the numbness creeping [10] into the exposed fingers. Also, he noted that the stinging which had first come to his toes when he sat down was already passing away. He wondered whether the toes were warm or numb. He moved them inside the moccasins and decided that they were numb.

He pulled the mitten on hurriedly [11] and stood up. He was a bit frightened. He stamped up and down until the stinging returned into the feet. It certainly was cold, was his thought. That man from Sulphur Creek had spoken the truth when telling how cold it sometimes got in the country. And he had laughed at him at the time [12]! That showed one must not be too sure of things.

---

1. **to keep it up :** *continuer.*
2. **by six :** *pour six heures.* **By** s'emploie devant une heure, une date lorsqu'on tient compte de la période qui précède. *Cela sera prêt à (pour) la fin du mois :* it'll be ready by the end of the month.
3. **exposed :** ne signifie jamais *exposer* au sens d'exposer un problème (to state, to outline). Sens usuel : 1) *exposer à un environnement ; au froid, à la chaleur,* etc. *;* 2) *mettre à jour, démasquer, dénoncer.*
4. **instead :** *au lieu de cela, plutôt.*
5. **sharp smashes :** *coups vifs.* **Smash :** *coup violent ;* smash up, *collision violente.* **To smash** : 1) *frapper violemment ;* 2) *fracasser, mettre en miettes.*
6. **sting :** *piqûre, morsure, douleur cuisante.* **To sting, stung, stung,** *piquer.*

116

En maintenant cette allure, il serait sûrement avec les gars à six heures. Il déboutonna sa vareuse et sa chemise et sortit son déjeuner. Cela ne lui prit pas plus de quinze secondes, mais suffit à ce que l'engourdissement gagne ses doigts nus. Il les fit claquer une dizaine de fois sur sa jambe, plutôt que de remettre sa mitaine. Puis il s'assit sur une bûche recouverte de neige pour manger. Le picotement qu'il ressentait dans les doigts après les avoir frappés sur sa jambe cessa si rapidement qu'il en fut troublé. Il n'avait pas encore pu mordre dans ses biscuits. Il tapa plusieurs fois des doigts et remit sa mitaine, dégantant son autre main pour pouvoir manger. Il essaya d'absorber une bouchée, mais le masque de glace l'en empêcha. Il avait oublié de faire du feu pour se dégeler. Il rit de son étourderie et pendant qu'il gloussait il sentit que ses doigts nus commençaient à s'engourdir. Il remarqua aussi que le picotement qui avait saisi ses orteils quand il s'était assis était déjà en train de disparaître. Il se demanda si ses orteils étaient réchauffés ou engourdis. Il les fit jouer dans les mocassins et jugea qu'ils étaient engourdis.

Il enfila rapidement la mitaine et se mit debout. Il était un peu effrayé. Il frappa le sol en allant et venant jusqu'à ce que le picotement revienne. C'est vrai qu'il faisait froid, pensa-t-il. L'homme de Sulphur Creek n'avait pas menti en disant à quel point il faisait parfois froid dans la région. Et à l'époque il s'était moqué de lui ! Cela montrait qu'il ne fallait pas être trop sûr de son fait.

---

7. **to startle** : *faire sursauter, faire tressaillir, alarmer, effrayer, surprendre.*
8. **purpose** ['pərpəs] : *but, intention.*
9. **to thaw** : *(se) dégeler, fondre.* **Thaw** : *dégel, fonte des neiges.*
10. **to creep** : 1) *ramper* ; 2) *s'introduire, s'insinuer, pénétrer subrepticement.*
11. **hurriedly** : cf. plus haut **repeatedly**. Ces formations participe passé + **ly** donnant un adverbe sont fréquentes en anglais. De même participe présent + **ly** : **surprisingly**, *de façon surprenante,* **strikingly**, *de façon frappante,* etc.
12. **at the time** : signifie la même chose que **at that time**. Cette expression ne peut désigner qu'une période passée. Par opposition à **at this time**, *au moment où nous sommes.*

There was no mistake about[1] it, it *was* cold. He strode[2] up and down, stamping his feet and threshing[3] his arms, until reassured by the returning warmth. Then he got out matches and proceeded to make a fire. From the undergrowth, where high water of the previous spring had lodged a supply[4] of seasoned[5] twigs, he got his firewood. Working carefully from a small beginning[6], he soon had a roaring[7] fire, over which he thawed the ice from his face and in the protection of which he ate his biscuits. For the moment the cold of space was outwitted[8]. The dog took satisfaction in the fire, stretching out close enough for warmth and far enough away to escape being singed[9].

When the man had finished, he filled his pipe and took his comfortable time over a smoke. Then he pulled on his mittens, settled the ear flaps of his cap firmly about his ears, and took the creek trail up the left fork. The dog was disappointed and yearned[10] back toward the fire. This man did not know cold. Possibly all the generations of his ancestry had been ignorant of cold, of real cold, of cold one hundred and seven degrees below freezing point. But the dog knew; all its ancestry knew, and it had inherited the knowledge. And it knew that it was not good to walk abroad[11] in such fearful[12] cold. It was the time to lie snug[13] in a hole in the snow and wait for a curtain of cloud to be drawn across the face of outer space[14] whence[15] this cold came. On the other hand[16], there was no keen intimacy between the dog and the man.

---

1. **there was no mistake about it :** m. à m. *il n'y avait pas à s'y tromper.* En plus familier on aurait : It was cold, and no mistake.
2. **to stride, strode, stridden :** *marcher à grands pas, à grandes enjambées, arpenter.* **Stride** : *enjambée, foulée.*
3. **to thresh :** *battre* (à l'origine le blé).
4. **a supply :** *une provision.* **To supply,** *fournir.* **Supplier,** *fournisseur.*
5. **seasoned :** *sec* (bois) ; peut aussi s'appliquer à une personne au sens d'*aguerri,* d'*expérimenté.*
6. **from a small beginning :** *en partant de peu de chose.*
7. **roaring fire : to roar,** *rugir,* (feu) *ronfler, gronder.*
8. **outwitted :** *déjouer, se montrer plus malin que.* **Wit** : *esprit, intelligence.*
9. **to singe** [sindʒ] **:** *brûler, roussir.*

118

Pour faire froid, on pouvait dire qu'il faisait froid. Marchant de long en large, il tapa des pieds et se frappa les bras jusqu'à ce qu'il se sente réchauffé et rassuré. Il sortit alors ses allumettes et entreprit de construire un feu. Dans les broussailles, où les crues du printemps précédent avaient laissé des brindilles sèches en quantité, il trouva de quoi l'alimenter. En nourrissant avec précaution la petite flamme de départ, il obtint vite une belle flambée devant laquelle il fit fondre la glace de son visage et à l'abri de laquelle il mangea ses biscuits. Pour l'instant le froid omniprésent avait trouvé son maître. Le chien se réjouissait du feu, s'allongeant assez près pour bénéficier de sa chaleur, assez loin pour ne pas se faire roussir le poil.

Son repas fini, l'homme bourra sa pipe et prit son temps pour la fumer. Puis il remit ses mitaines, rabattit les pattes de sa casquette pour bien protéger ses oreilles, et prit la piste qui suivait le bras gauche du ruisseau. Le chien, déçu, regrettait la chaleur du feu. Cet homme ne savait rien du froid. Peut-être que tous ses ancêtres, au fil des générations, avaient ignoré le froid, le vrai froid, un froid de cent sept degrés Fahrenheit au-dessous du point de gel. Mais le chien, lui, savait ; tous ses ancêtres avaient su, et il avait hérité de leur connaissance. Et il savait qu'il n'était pas bon de se déplacer par ces températures glaciales. C'était le moment de s'allonger confortablement dans un trou creusé dans la neige et d'attendre qu'un rideau de nuages masque l'espace interstellaire d'où provenait ce froid. Mais il n'existait pas d'intimité profonde entre l'homme et le chien.

---

10. **to yearn :** *désirer fortement, avoir très envie de* (complément généralement introduit par **for** ou **after**).

11. **abroad :** 1) *à l'étranger* ; 2) (comme ici) *sorti, dehors* (**out of doors**) ; 3) *répandu alentour.* **There is an idea abroad that,** *l'idée court que...*

12. **fearful :** 1) *effrayant, redoutable, affreux* ; 2) *craintif, effrayé.*

13. **snug :** *confortable, douillet, bien au chaud.*

14. **outer space :** 1) *espace immédiatement au-dessus de l'atmosphère terrestre* ; 2) *espace intersidéral.* **Outer :** *extérieur,* contraire de **inner,** *intérieur, interne, intime.*

15. **whence :** (littéraire) **from where.**

16. **on the other hand :** **on the one hand,** *d'un côté,* **on the other hand,** *d'un autre côté.* Souvent associés, au sens de : *d'une part, d'autre part.*

The one was the toil[1] slave of the other, and the only caresses it had ever received were the caresses of the whip lash and of harsh and menacing throat sounds[2] that threatened[3] the whip lash. So the dog made no effort to communicate its apprehension to the man. It was not concerned in the welfare[4] of the man; it was for its own sake that it yearned back toward the fire. But the man whistled, and spoke to it with the sound of whip lashes, and the dog swung[5] in at the man's heels and followed after.

The man took a chew of tobacco and proceeded to start a new amber beard. Also, his moist breath quickly powdered with white his mustache, eyebrows, and lashes. There[6] did not seem to be so many springs on the left fork of the Henderson, and for half an hour the man saw no signs of any. And then it happened. At a place where there were no signs, where the soft, unbroken snow seemed to advertise[7] solidity beneath, the man broke through. It was not deep. He wet himself halfway to the knees before he floundered out[8] to the firm crust[9].

He was angry, and cursed his luck[10] aloud. He had hoped to get into camp with the boys at six o'clock, and this would delay him an hour, for he would have to build a fire and dry out his footgear. This was imperative at that low temperature — he knew that[11] much; and he turned aside to the bank, which he climbed. On top, tangled[12] in the underbrush about the trunks of several small spruce trees, was a highwater deposit[13] of dry firewood — sticks and twigs, principally, but also larger portions of seasoned branches and fine, dry, last year's grasses.

---

1. **toil** : *labeur, travail pénible*. Verbe : to toil.
2. **throat sounds** : m. à m. *sons de gorge*.
3. **that threatened the whip lash** : *qui menaçaient de (d'employer) la lanière du fouet*.
4. **welfare** : *bien-être*. The Welfare State : *l'État-providence*.
5. **to swing in** : donne l'idée de faire un mouvement de côté pour emboîter le pas.
6. **there did not seem to be so many springs** : △ lorsque le sujet vrai vient après le verbe, celui-ci est précédé du sujet apparent **there** et non pas de it (faute classique des Français). Ex. : *il devrait y avoir une solution*, **there** ought to be a solution ; *il vient un moment où*, **there** comes a time when.
7. **to advertise** : 1) *annoncer, faire savoir, faire connaître* ; 2) *faire de la publicité*.

L'un était un esclave qui peinait pour l'autre, et les seules caresses qu'il avait jamais reçues étaient celles de la lanière du fouet et des menaces gutturales qui en faisaient craindre l'emploi. C'est pourquoi le chien ne faisait aucun effort pour communiquer à l'homme ses appréhensions. Il ne s'intéressait pas au confort de son maître. C'est pour son propre bien-être qu'il aurait souhaité rester près du feu. Mais l'homme siffla, et lui parla de sa voix cinglante : le chien se mit en route sur ses talons.

L'homme prit une chique de tabac et commença à se refaire une nouvelle barbe d'ambre. Et son souffle humide poudra rapidement de blanc sa moustache, ses sourcils et ses cils. Il ne semblait pas y avoir tellement de sources le long du bras gauche du Henderson, et une demi-heure s'écoula sans qu'il en repère une seule. Et puis, tout d'un coup... à un endroit que rien ne distinguait, où la neige molle et bien plane semblait indiquer un soubassement solide, l'homme perdit pied. La poche n'était pas profonde. Il fut trempé jusqu'à mi-jambes avant de pouvoir se hisser sur la surface ferme.

Il était furieux et maudit tout haut sa malchance. Il avait espéré retrouver les gars au camp à six heures et voilà qu'il serait retardé d'une heure car il allait lui falloir construire un feu et faire sécher ses mocassins et ses chaussettes. C'était absolument nécessaire par cette température glaciale, il le savait bien. Se tournant vers la berge, il en entreprit l'ascension. Au sommet, prisonnier des broussailles autour des troncs de plusieurs petits sapins, se trouvait du petit bois laissé par les crues — surtout des branchettes et des brindilles mais aussi de plus grosses branches bonnes à brûler et de belles herbes sèches de l'année précédente.

---

8. **floundered out** : la postposition **out** indique le résultat *(sortir)*, le verbe la manière *(en se débattant, en pataugeant)*.

9. **crust** : *croûte*.

10. **luck** : signifie en général **good luck**, mais peut aussi comme ici signifier **bad luck**, ou **ill-luck**. ⚠ ne pas confondre avec **chance**, *le hasard*.

11. **that much** : **that** au sens de *à ce point*. Cf. **it is not that difficult**, *ce n'est pas si difficile que cela, à ce point difficile*.

12. **to tangle** : *emmêler, embrouiller, enchevêtrer*. A **tangle**, *un fouillis, un enchevêtrement*.

13. **high-water deposit** : *ce qui avait été déposé par le ruisseau à son plus haut niveau de crue* (**high-water mark**).

He threw down several large pieces on top of the snow. This served for a foundation and prevented the young flame from drowning itself in the snow it otherwise would melt. The flame he got by touching a match to a small shred of birch bark that he took from his pocket. This burned even more readily than paper. Placing it on the foundation, he fed the young flame with wisps [1] of dry grass and with the tiniest [2] dry twigs.

He worked slowly and carefully, keenly [3] aware of his danger. Gradually, as the flame grew stronger, he increased the size of the twigs with which he fed it. He squatted in the snow, pulling the twigs out from their entanglement in the brush and feeding directly to the flame. He knew there must be no failure. When it is seventy-five below zero [4], a man must not fail in his first attempt to build a fire – that is [5], if his feet are wet. If his feet are dry, and he fails, he can run along the trail for half a mile and restore [6] his circulation. But the circulation of wet and freezing feet cannot be restored by running when it is seventy-five below. No matter how fast [7] he runs, the wet feet will freeze the harder [8].

All this the man knew [9]. The old-timer [10] on Sulphur [11] Creek had told him about it the previous fall [12], and now he was appreciating the advice [13]. Already all sensation had gone out of his feet. To build the fire he had been forced to remove his mittens, and the fingers had quickly gone numb. His pace of four miles an hour had kept his heart pumping blood to the surface of his body and to all the extremities. But the instant he stopped, the action of the pump eased down.

---

1. **wisp** : *filament ; poignée* (de paille), *ruban* (de fumée), *mèche* (de cheveux).
2. **tiny** : *minuscule*.
3. **keenly** : adverbe formé sur **keen**, 1) *aiguisé, aigu* ; 2) *vif* ; 3) *ardent, enthousiaste*. **To be keen on something**, *être passionné par, très amateur de*.
4. **seventy-five below zero** : près de – 60 en degrés Celsius.
5. **that is** : *c'est-à-dire*, introduisant une concession ou une précision.
6. **to restore** : notez l'orthographe.
7. **no matter how fast** : cf. no matter what they say, *quoi qu'ils en disent*. **How fast**, cf. how long, how old, how often, etc.
8. **the harder** : *d'autant plus durement*. Cf. the sooner the bet-

Il jeta plusieurs gros morceaux par terre, pour servir de base au feu et éviter que la flamme naissante ne se noie dans la neige que, sans cela, elle aurait fait fondre. Il fit naître la flamme en approchant une allumette d'un petit morceau d'écorce de bouleau qu'il prit dans sa poche. Cela brûlait encore mieux que du papier. Le plaçant sur la base du foyer, il nourrit la jeune flamme avec de petits brins d'herbe sèche et les brindilles les plus minces.

Il travaillait lentement et avec application, très conscient du danger qu'il courait. Progressivement, à mesure que la flamme grandissait, il augmenta la taille des brindilles dont il la nourrissait. Accroupi sur la neige il les arrachait à l'enchevêtrement des broussailles pour alimenter directement le feu. Il savait qu'il n'avait pas le droit d'échouer. Quand il fait soixante-quinze degrés Fahrenheit au-dessous de zéro, on doit réussir à faire partir un feu à la première tentative — en tout cas, quand on a les pieds trempés. Avec des pieds secs, si on ne réussit pas du premier coup, on peut courir un demi-mile le long de la piste pour rétablir la circulation du sang. Mais ce n'est pas possible quand on a les pieds trempés et en train de geler par moins soixante-quinze au-dessous de zéro. Aussi vite que l'on coure, les pieds gèleront encore plus rapidement.

Tout cela, l'homme le savait. L'ancien de Sulphur Creek le lui avait expliqué l'automne précédent, et aujourd'hui il mesurait l'importance de ses conseils. Il ne sentait déjà plus du tout ses pieds. Pour construire le feu il avait dû retirer ses mitaines, et ses doigts étaient vite devenus gourds. Tant qu'il avait marché à quatre miles à l'heure, son cœur avait fait circuler le sang à la surface de son corps et dans toutes ses extrémités. Mais dès qu'il s'était arrêté, la pompe s'était ralentie.

---

ter, *le plus tôt sera le mieux*, **the more the merrier**, *plus on est de fous plus on rit*.

9. **all this the man knew :** plus solennel que **the man knew all this**, insiste également sur l'inutilité de cette connaissance.

10. **old-timer :** *vieux de la vieille*, qui a de l'expérience. Terme fréquent dans les westerns.

11. **sulphur :** *soufre*.

12. **fall :** c'est la façon usuelle de nommer l'*automne* aux États-Unis. Le mot **autumn** est moins utilisé.

13. **advice :** collectif singulier, comme **information**, *les renseignements. Vos conseils sont utiles*, **your advice is helpful.**'*Un conseil* : **a piece of advice.** *Conseiller* : **to advice.**

The cold of space smote the unprotected tip of the planet, and he, being on that unprotected tip, received the full force of the blow. The blood of his body recoiled before it. The blood was alive, like the dog, and like the dog it wanted to hide away and cover itself up from the fearful cold. So long as he walked four miles an hour, he pumped the blood, willy-nilly [1], to the surface; but now it ebbed [2] away and sank down into the recesses [3] of his body. The extremities were the first to feel its absence. His wet feet froze the faster [4], and his exposed fingers numbed the faster [5], though they had not yet begun to freeze. Nose and cheeks were already freezing, while the skin of all his body chilled as it lost its blood.

But he was safe [6]. Toes and nose and cheeks would be only touched [7] by the frost, for the fire was beginning to burn with strength. He was feeding it with twigs the size of his finger. In another minute he would be able to feed it with branches the size of his wrist, and then he could remove his wet footgear, and, while it dried, he could keep his naked feet warm by the fire, rubbing them at first, of course, with snow. The fire was a success. He was safe. He remembered the advice of the old-timer on Sulphur Creek, and smiled. The old-timer had been very serious [8] in laying down the law that no man must travel alone in the Klondike after fifty below. Well, here he was; he had had the accident; he was alone; and he had saved himself. Those old-timers were rather womanish [9], some of them, he thought. All a man had to do was to keep his head [10], and he was all right. Any man who was a man could travel alone.

---

1. **willy-nilly** : *bon gré mal gré.*
2. **to ebb** : *se retirer* (mer), *refluer.* **The tide is ebbing,** *la marée baisse.* **The ebb and flow,** *le flux et le reflux* (m. à m. *le reflux et le flux*).
3. **recess** : *recoin, renfoncement, niche.*
4. **the faster** : *d'autant plus vite.*
5. cette reprise du même mot n'est pas gênante en anglais, où la répétition n'est pas un critère de style contrairement au français. Lorsqu'on écrit en anglais, il est donc moins nécessaire d'éviter les répétitions surtout si cela amène à des lourdeurs (**the latter,** etc.) ou des tournures compliquées.
6. **safe** : *sauf.* **Safe and sound** : *sain et sauf.*
7. **touched** : *atteint superficiellement. Durement atteint,* **hard hit, severely hit.**

124

Le froid venu de l'espace frappait l'extrémité exposée de la planète et l'homme, lui-même sur cette surface offerte, en recevait l'impact de plein fouet. Son sang refluait sous sa morsure. Son sang était vivant, comme le chien, et comme le chien il voulait se cacher et s'abriter de ce froid intolérable. Tant que l'homme parcourait ses quatre miles à l'heure, il pompait le sang, tant bien que mal, vers la surface de son corps. Mais maintenant, le sang s'en retirait pour se réfugier dans les profondeurs. Les premières, les extrémités réagissaient à son absence. Ses pieds trempés en gelant plus vite, et ses doigts nus en s'engourdissant plus rapidement, bien qu'ils n'aient pas commencé à geler. Son nez et ses joues gelaient déjà, alors que sur tout son corps la peau se glaçait avec le reflux du sang.

Mais il allait s'en tirer. Ses orteils, son nez et ses joues ne seraient pas trop atteints, car le feu gagnait de la force. Il le nourrissait avec des brindilles de la taille d'un doigt. Dans une minute il pourrait l'alimenter avec des branches de l'épaisseur de son poignet et il pourrait alors retirer mocassins et chaussettes et, pendant qu'ils sécheraient, mettre ses pieds au chaud près du feu, en les frottant d'abord, bien sûr, avec de la neige. Le feu était un succès. Il était sauf. Il se souvint des conseils de l'ancien de Sulphur Creek et sourit. Le vieux était très convaincu quand il avait énoncé la loi selon laquelle nul ne doit voyager seul au Klondike quand il fait moins de cinquante au-dessous de zéro. Et pourtant il était là ; il avait eu cet accident ; il était seul, et il s'en était tiré. Ces vieux de la vieille parlaient comme des femmes, certains d'entre eux, pensa-t-il. Tout ce qu'un homme devait faire, c'était garder la tête sur les épaules, et tout allait bien. Tout homme digne de ce nom pouvait voyager seul.

---

8. **serious** : *sérieux, grave, réfléchi,* ici avec une nuance de solennité.
9. **womanish** : indique ici le manque de courage et de force de caractère , qualités que le machisme traditionnel associe à la virilité. L'auteur nous a prévenus que son « héros » n'était pas un penseur original. Dans un autre contexte, **womanish** n'est pas nécessairement péjoratif.
10. **to keep one's head** : *garder son sang-froid.* Cf. **to lose one's head** : *perdre la tête.* Compte tenu des circonstances, le traducteur a évité l'expression *garder la tête froide.*

But it was surprising, the rapidity with which his cheeks and nose were freezing. And he had not thought his fingers could go lifeless [1] in so short a time. Lifeless they were, for he could scarcely make them move together to grip [2] a twig, and they seemed remote [3] from his body and from him. When he touched a twig, he had to look and see whether or not he had hold of it. The wires were pretty well down [4] between him and his finger ends.

All of which counted for little. There was the fire, snapping [5] and crackling and promising [6] life with every dancing flame. He started to untie his moccasins. They were coated with ice; the thick German socks were like sheaths [7] of iron [8] halfway to the knees; and the moccasin strings were like rods of steel all twisted and knotted [9] as by some conflagration. For a moment he tugged [10] with his numb fingers, then, realizing the folly [11] of it, he drew his sheath [12] knife.

But before he could cut the strings, it happened. It was his own fault or, rather, his mistake. He should not have built the fire under the spruce tree. He should have built it in the open. But it had been easier to pull the twigs from the brush and drop [13] them directly on the fire. Now the tree under which he had done this carried a weight of snow on its boughs [14]. No wind had blown for weeks, and each bough was fully freighted [15]. Each time he had pulled a twig he had communicated a slight agitation to the tree – an imperceptible agitation, so far as he was concerned, but an agitation sufficient to bring about the disaster. High up in the tree one bough capsized [16] its load of snow.

---

1. **to go lifeless : to go** au sens de *devenir* comme dans **to go mad**, *devenir fou*, **to go broke**, *faire faillite*, **to go white**, *blêmir*.

2. **to grip :** *étreindre, serrer, empoigner*. **Grip** : *étreinte*.

3. **remote :** *lointain, éloigné, distant*.

4. **the wires were down :** *la communication était rompue*, comme quand les fils du télégraphe (**wires**) sont tombés ou coupés.

5. **to snap :** 1) *saisir, happer* ; 2) *émettre un craquement, un claquement* ; 3) *se rompre*.

6. **to promise :** △ pron. ['prɔmis].

7. **sheath :** *fourreau, gaine*. Attention au changement de pron. entre singulier et pluriel ; **sheath** [ʃiːθ], **sheaths** [ʃiːðz]. Cf. **path, paths, youth, youths**, etc. *Enserrer, envelopper* : **to sheathe** [ʃiːð].

8. **iron :** △ pron. ['aiən], (U.S.) ['aiərn]. Ne pas prononcer le **r** entre le **i** et le **o**.

Mais c'était surprenant, la rapidité avec laquelle ses joues et son nez gelaient. Et il n'aurait pas cru que ses doigts puissent devenir insensibles au bout de si peu de temps. Ils l'étaient pourtant, car il pouvait à peine les faire se mouvoir ensemble pour serrer une brindille, et ils semblaient séparés de son corps et de lui-même. Quand il prenait une brindille, il fallait qu'il regarde pour savoir s'il la tenait ou non. Les signaux passaient bien mal entre lui et l'extrémité de ses doigts.

Mais tout cela n'avait que peu d'importance. Le feu était là, craquant et pétillant, chaque nouvelle flamme dansant une promesse de vie. Il se mit à délacer ses mocassins. Ils étaient recouverts de glace ; ses épaisses chaussettes allemandes l'enserraient jusqu'à mi-jambe comme d'une gaine métallique ; et les lacets des mocassins étaient comme des tiges d'acier, toutes tordues et nouées après un incendie. Il commença à tirer dessus de ses doigts engourdis, puis devant l'inanité de ses efforts il sortit son coutelas.

Mais avant qu'il ait pu couper les lacets, cela arriva. C'était bien lui l'auteur de la faute — ou plutôt de l'erreur. Il n'aurait pas dû construire son feu sous le sapin. Mais ç'avait été plus facile de tirer les brindilles des broussailles et de les faire tomber directement dans le feu. Or les rameaux de l'arbre sous lequel il s'activait étaient couverts de neige. Il n'y avait pas eu de vent depuis des semaines, et chaque rameau portait sa charge pleine. Chaque fois qu'il avait retiré une brindille, il avait communiqué à l'arbre un léger tremblement, imperceptible pour lui, mais suffisant pour provoquer le désastre. Tout en haut de l'arbre, un rameau déversa sa cargaison de neige.

---

9. **to knot** [nɔt] : *nouer, faire un (des) nœud(s)*.
10. **to tug** : *indique un violent effort de traction, ou une traction soudaine*.
11. **folly** : *folie au sens d'absurdité*.
12. **sheath** : *voir note 7*.
13. **and drop them** : *et les lâcher*.
14. **bough** : △ pron. [bau].
15. **to freight** [freit] : *charger (un véhicule, à l'origine un bateau)*. **The freight** : *le fret*.
16. **to capsize** : *1) chavirer ; 2) faire chavirer*.

This fell on the boughs beneath, capsizing them. This process continued, spreading out and involving the whole [1] tree. It grew like an avalanche [2], and it descended without warning upon the man and the fire, and the fire was blotted out [3]! Where it had burned was a mantle of fresh and disordered snow.

The man was shocked. It was as though he had just heard his own sentence of death. For a moment he sat and stared at the spot where the fire had been. Then he grew very calm. Perhaps the old-timer on Sulphur Creek was right. If he had only had a trail mate [4] he would have been in no danger now. The trail mate could have built the fire. Well, it was up to him [5] to build the fire over again, and this second time there must be no failure. Even if he succeeded, he would most likely lose some toes. His feet must be badly frozen by now, and there would be some time [6] before the second fire was ready.

Such were his thoughts, but he did not sit and think them [7]. He was busy all the time they were passing through his mind. He made a new foundation for a fire, this time in the open, where no treacherous [8] tree could blot it out. Next he gathered dry grasses and tiny twigs from the high-water flotsam [9]. He could not bring his fingers together to pull them out [10], but he was able to gather them by the handful. In this way he got many rotten twigs and bits of green moss that were undesirable, but it was the best he could do. He worked methodically, even collecting [11] an armful [12] of the larger [13] branches to be used later when the fire gathered [14] strength.

---

1. **whole** : même prononciation que **hole** (*trou*) [həul].
2. **avalanche** : Δ pron. ['ævəlæntʃ], (G.B.) ['ævəlɑːnʃ].
3. **to blot out** : *effacer.*
4. **mate** : se trouve souvent en composition. **Shipmate**, *membre de l'équipage*, **schoolmate**, *camarade d'école*, **classmate**, *de classe*, etc. Employé seul, **mate** est très familier.
5. **up to him** : cf. **it's up to you**, *c'est à vous de décider, de choisir, c'est comme vous voudrez, cela ne tient qu'à vous.*
6. **there would be some time** : *il s'écoulerait quelque temps.*
7. **to think a thought** : expression toute faite, comme **to dream a dream.**
8. **treacherous** ['tretʃərəs] : *traître. Traîtrise,* **treachery** ; *traître,* **traitor** ; *trahir,* **to betray** ; *trahison,* **betrayal**, *(haute) trahison,* **treason.**

Celle-ci tomba sur les rameaux d'en dessous, les faisant basculer. De proche en proche, le phénomène s'amplifia, pour gagner l'arbre tout entier. Cela grossit comme une avalanche, et s'abattit sans crier gare sur l'homme et le foyer, et le feu fut anéanti ! Là où il avait brûlé, il ne restait plus qu'un manteau de neige fraîche éparpillée.

L'homme était sous le choc. C'était comme s'il venait d'entendre prononcer sa propre condamnation à mort. Il resta assis quelque temps à fixer l'emplacement où s'était trouvé le feu. Puis il devint très calme. Peut-être le vieux de Sulphur Creek avait-il raison. Si seulement il avait eu un compagnon de route, il n'aurait pas été en danger maintenant. Son compagnon aurait pu construire le feu. Eh bien... C'était à lui de recommencer à faire un feu, et cette fois-ci il n'avait pas le droit d'échouer. Même s'il réussissait, il perdrait très probablement quelques orteils. Ses pieds devaient être sérieusement gelés maintenant, et le deuxième feu ne serait pas prêt tout de suite.

Telles étaient ses pensées, mais il ne resta pas assis à les méditer. Il s'activait pendant qu'elles lui traversaient l'esprit. Il construisit un nouveau soubassement pour le foyer, à l'écart cette fois des arbres et de leur traîtrise. Il rassembla ensuite des herbes sèches et de menues brindilles laissées par la crue. Il ne parvenait pas à refermer ses doigts sur elles, mais il réussit à les prélever par poignées. Il se retrouvait ainsi avec beaucoup de brindilles pourries et de morceaux de mousse verte indésirable mais il ne pouvait faire mieux. Il travaillait avec méthode, ramassant même une brassée de grosses branches à mettre sur le feu quand celui-ci aurait pris de la force.

---

9. **flotsam :** *épave(s) flottante(s)* ; *détritus* dérivant à la surface de l'eau ; ici *bois* déposé par la crue.
10. **to pull them out :** m. à m. *pour les arracher.*
11. **to collect :** *rassembler.*
12. **armful :** même formation (**arm + full**) que **handful (hand + full)** rencontré plus haut.
13. **larger :** comparatif utilisé pour distinguer entre deux catégories. Cf. **the higher animals,** *les animaux supérieurs*, **the lower ranks,** *les rangs inférieurs.*
14. **gathered :** prétérit modal, à valeur de conditionnel.

And all the while the dog sat and watched him, a certain yearning wistfulness [1] in its eyes, for it looked upon him as the fire provider, and the fire was slow in coming.

When all was ready, the man reached in his pocket for [2] a second piece of birch bark. He knew the bark was there, and, though he could not feel it with his fingers, he could hear its crisp rustling [3] as he fumbled [4] for it. Try as he would, he could not clutch hold [5] of it. And all the time, in his consciousness, was the knowledge that each instant his feet were freezing. This thought tended to put him in a panic, but he fought against it and kept calm. He pulled on his mittens with his teeth, and threshed his arms back and forth [6], beating his hands with all his might against his sides. He did this sitting down, and he stood up to do it; and all the while the dog sat in the snow, its wolf brush of a tail curled [7] around warmly over its forefeet, its sharp wolf ears pricked forward intently as it watched the man. And the man, as he beat and threshed with his arms and hands, felt a great surge [8] of envy as he regarded [9] the creature that was warm and secure [10] in its natural covering.

After a time he was aware of the first faraway [11] signals of sensations in his beaten fingers. The faint tingling grew stronger till it evolved into a stinging ache that was excruciating [12], but which the man hailed [13] with satisfaction. He stripped the mitten from his right hand and fetched forth [14] the birch bark. The exposed fingers were quickly going numb again.

---

1. **wistfulness :** de **wistful**, *désenchanté, teinté de désir ou de regret, pensif, mélancolique.*

2. **reached in his pocket for :** to reach for something, *essayer d'atteindre.*

3. **crisp rustling : crisp**, *sec, croustillant* (biscuits, etc.). **To rustle :** *produire un bruissement, bruire* (feuilles, vent).

4. **to fumble for something : for** indique qu'on essaie de saisir ; **to fumble :** *fouiller* (au hasard), *tâtonner.*

5. **to clutch hold :** signifie en général *s'agripper à, s'accrocher à* ; de **to clutch**, *saisir, empoigner, étreindre.* Employé ici comme synonyme de **to catch hold of**, *saisir, s'emparer de*, tout en soulignant la difficulté du personnage à refermer ses doigts.

6. **back and forth :** to go back and forth, *aller et venir.*

7. **to curl :** 1) *boucler, friser* ; 2) *s'enrouler.*

8. **surge :** *houle, lame, flot qui monte.*

Et pendant tout ce temps le chien le regardait, assis, une vague inquiétude perçant dans son regard, car l'homme était pour lui le fournisseur de feu, et le feu se faisait attendre.

Quand tout fut près, l'homme chercha dans sa poche un deuxième morceau d'écorce de bouleau. Il savait qu'il était là et, bien que ses doigts ne pussent le sentir, il entendait son bruissement sec à leur contact. Malgré tous ses efforts, il ne parvenait pas à le saisir et, pendant tous ces instants, il avait clairement conscience de ce que ses pieds étaient en train de geler. Cette idée le poussait à la panique, mais il y résistait et restait calme. Il retira ses mitaines en s'aidant de ses dents et se mit à battre des bras, en se frappant les côtes de toutes ses forces avec les mains. Il commença assis, et continua debout, et pendant tout ce temps le chien était assis dans la neige, le panache de loup de sa queue ourlant chaudement ses pattes de devant, ses oreilles pointues comme celles d'un loup dressées vers l'avant tandis qu'il suivait attentivement les mouvements de l'homme. Et l'homme, battant des bras et frappant des mains, sentit monter en lui une grande bouffée de jalousie à la vue de cette créature tranquillement au chaud sous sa protection naturelle.

Au bout de quelque temps il ressentit les premiers symptômes du retour des sensations dans ses doigts. Le léger picotement s'accusa pour se muer en une douleur cuisante qui le mettait au supplice, mais qu'il accueillit avec satisfaction. Il dégagea sa main droite de la mitaine et se saisit de l'écorce de bouleau. Ses doigts nus recommencèrent aussitôt à s'engourdir.

---

9. **to regard :** combine ici le sens archaïque de *regarder* (visuellement) et le sens moderne de *considérer*.

10. **secure :** 1) *sûr, de tout repos* ; 2) *en sécurité, à l'abri*.

11. **faraway :** *éloigné, lointain, distant, reculé.*

12. **excruciating :** *affreux, atroce, horrible.* **To excruciate** (littéraire), *mettre au supplice.*

13. **to hail :** *héler, saluer, acclamer, accueillir avec plaisir.*

14. **to fetch forth :** *produire* (faire apparaître). **Forth,** *en avant,* archaïque ou littéraire pour *out* ; **to fetch,** *aller chercher.* **Fetched forth** rend ici compte du double mouvement de la main qui s'enfonce d'abord dans la poche afin d'y saisir l'écorce de bouleau pour l'en sortir ensuite.

Next he brought out his bunch of sulphur matches. But the tremendous [1] cold had already driven the life out [2] of his fingers. In his effort to separate one match from the others, the whole bunch fell in the snow. He tried to pick it out of the snow, but failed. The dead fingers could neither touch nor clutch. He was very careful. He drove the thought of his freezing feet, and nose, and cheeks, out of his mind, devoting his whole soul [3] to the matches. He watched, using the sense of vision in place of that of touch, and when he saw his fingers on each side [4] the bunch, he closed them – that is, he willed [5] to close them, for the wires were down [6], and the fingers did not obey. He pulled the mitten on the right hand, and beat it fiercely against his knee. Then, with both mittened hands, he scooped [7] the bunch of matches, along with [8] much snow, into his lap [9]. Yet he was no better off [10].

After some manipulation he managed to get the bunch between the heels [11] of his mittened hands. In this fashion he carried it to his mouth. The ice crackled and snapped when by a violent effort he opened his mouth. He drew the lower jaw in, curled [12] the upper lip out of the way [13] and scraped the bunch with his upper teeth in order to separate a match. He succeeded in getting one, which he dropped on his lap. He was no better off. He could not pick it up. Then he devised [14] a way. He picked it up in his teeth and scratched [15] it on his leg. Twenty times he scratched before he succeeded [16] in lighting it.

---

1. **tremendous** : *considérable, énorme, fantastique, terrible.*
2. **to drive out** : c'est comme toujours la postposition (**out**) qui donne le sens principal, *chasser*. **To drive, drove, driven**, *pousser, conduire.*
3. **soul** : *âme.*
4. **on each side the bunch** : on each side of the bunch ; cette suppression de *of* se produit assez souvent après **side** : **on this side the river, this side the river**, *de ce côté-ci du fleuve ;* **this side the grave**, *de ce côté-ci de la tombe.*
5. **he willed** : **to will**, verbe assez rare, indique un effort particulier de la volonté. Autre sens : *léguer* (**will** : *testament*).
6. **for the wires were down** : cf. note 4, p. 14.
7. **to scoop** : *prendre avec une pelle creuse, un godet ou le creux de la main ; évider.*
8. **along with** : *ainsi que* (+ nom), *avec.* Cf. **together with.**

Il sortit ensuite sa poignée d'allumettes soufrées. Mais le froid extrême avait déjà rendu ses doigts insensibles. Dans ses efforts pour attraper une allumette parmi les autres, il fit tomber toute la poignée dans la neige. Il tenta de la ramasser, mais en vain. Ses doigts morts ne pouvaient ni toucher ni saisir. Il était très appliqué. Il chassa de son esprit l'idée que ses pieds, son nez et ses joues étaient en train de geler, et se concentra de tout son être sur les allumettes. Il les fixa, utilisant le sens de la vue au lieu de celui du toucher et, quand il vit que ses doigts étaient de chaque côté du tas, il les referma — ou plutôt leur ordonna de se refermer, car les commandes ne répondaient plus et ses doigts n'obéirent pas. Il remit sa mitaine à sa main droite, qu'il frappa furieusement contre son genou. Puis, dans la coupe de ses deux mains gantées, il recueillit la poignée d'allumettes toutes mêlées de neige et la déposa sur ses genoux. Mais cela ne l'avançait guère.

Après quelques manipulations, il parvint à coincer la poignée d'allumettes dans l'angle des paumes de ses mains gantées. De cette façon il l'amena à hauteur de sa bouche. La glace qui enserrait celle-ci craqua et céda sous le violent effort qu'il dut faire pour l'ouvrir. Il ramena en arrière sa mâchoire inférieure, retroussa sa lèvre supérieure et racla les allumettes avec les dents d'en haut pour en détacher une. Il réussit à en cueillir une, qu'il fit tomber sur ses genoux. Il n'était pas plus avancé. Il ne pouvait pas s'en saisir. Il trouva alors un moyen. Il la prit entre ses dents et la frotta contre sa jambe. Il dut s'y prendre à vingt fois avant de réussir à l'allumer.

---

9. **lap** : *giron*.
10. **to be better off** : *s'en trouver mieux, être dans une meilleure situation*. Cf. **to be worse off**, *être dans une plus mauvaise situation*. △ **well off** : *dans l'aisance, à l'aise, riche*.
11. **heel** : *talon*, mais aussi comme ici, *la partie extérieure et charnue de la paume*, la plus proche du poignet.
12. **to curl one's lips** : *retrousser les lèvres*.
13. **out of the way** : *à l'écart*, pour ne pas gêner.
14. **to devise** : *imaginer, concevoir*.
15. **to scratch** : *égratigner, griffer, gratter, frotter, craquer une allumette*.
16. **to succeed** : *réussir à faire quelque chose*, **to succeed in doing something** (**in** + verbe à la forme en **-ing**), ou **to manage to do something**.

As it flamed he held it with his teeth to the birch bark. But the burning brimstone went up his nostrils and into his lungs, causing him to cough [1] spasmodically. The match fell into the snow and went out.

The old-timer on Sulphur Creek was right, he thought in the moment of controlled despair that ensued [2]: after fifty below, a man should travel with a partner. He beat his hands, but failed in exciting any sensation. Suddenly he bared both hands, removing the mittens with his teeth. He caught the whole bunch between the heels [3] of his hands. His arm muscles not being frozen [4] enabled him to press the hand heels tightly against the matches. Then he scratched the bunch along his leg. It flared [5] into flame, seventy sulphur matches at once! There was no wind to blow them out. He kept his head to one side to escape the strangling [6] fumes [7], and held the blazing [8] bunch to the birch bark. As he so held it, he became aware of sensation in his hand. His flesh was burning. He could smell it. Deep down below the surface he could feel it. The sensation developed [9] into pain that grew acute. And still [10] he endured it, holding the flame of the matches clumsily to the bark that would not light readily [11] because his own burning hands were in the way [12], absorbing most of the flame.

At last, when he could endure no more, he jerked his hands apart. The blazing matches fell sizzling into the snow, but the birch bark was alight. He began laying [13] dry grasses and the tiniest twigs on the flame. He could not pick and choose [14], for he had to lift the fuel [15] between the heels of his hands.

---

1. **causing him to cough :** *le faisant tousser* ; **to cough** [kɔf].

2. **to ensue :** *s'ensuivre, découler.*

3. **heel :** 1) *talon* ; 2) (ici) *partie charnue à la base de la paume.*

4. **his arm muscles not being frozen :** m. à m. *le fait que les muscles de ses bras n'étaient pas gelés.* Δ pron. **muscle** ['mʌsl].

5. **to flare :** (souvent avec **up**) *s'enflammer, augmenter d'intensité* (flamme). **A flare**, *une flambée.*

6. **to strangle :** 1) *étrangler* ; 2) (emploi plus rare, comme ici) *étouffer, gêner la respiration* (**to choke**).

7. **fumes :** *fumée, vapeur* (souvent toxique), *exhalaison, gaz.*

8. **to blaze :** *flamber, faire rage* (incendie).

9. **to develop :** Δ orthographe de **developed, developing**, un seul **p** car l'accent tonique tombe sur la syllabe précédente [di'veləp].

Quand elle s'enflamma, il l'approcha, toujours avec les dents, de l'écorce de bouleau. Mais la fumée du soufre lui emplit les narines et les poumons, et il fut saisi d'une toux spasmodique. L'allumette tomba dans la neige et s'éteignit.

L'ancien de Sulphur Creek avait raison, pensa-t-il pendant l'instant de désespoir contenu qui suivit : quand il fait moins de cinquante au-dessous de zéro, il faut avoir un compagnon de voyage. Il frappa ses mains l'une contre l'autre, sans réussir à éveiller la moindre sensation. Soudain, il les dénuda toutes les deux, enlevant ses mitaines avec ses dents. Il saisit tout le paquet d'allumettes entre les bases de ses paumes. Comme les muscles de ses bras n'étaient pas gelés, il put presser celles-ci fermement contre les allumettes. Puis il gratta le paquet contre sa jambe. La flamme jaillit, soixante-dix allumettes soufrées prenant feu d'un seul coup ! Il n'y avait pas de vent qui risquât de les éteindre. Tenant la tête de côté pour éviter d'être suffoqué, il approcha les allumettes enflammées de l'écorce de bouleau. Ce faisant, il eut une sensation en provenance de sa main. Sa chair brûlait. Il en percevait l'odeur. C'était en profondeur, sous sa peau. La sensation se fit douleur, puis souffrance aiguë. Il résistait toujours, orientant maladroitement les allumettes vers l'écorce qui ne voulait pas prendre, car ses propres mains en train de brûler faisaient écran, et absorbaient le plus gros de la flamme.

Enfin, n'y tenant plus, il sépara brutalement ses mains. Les allumettes enflammées tombèrent en grésillant dans la neige, mais l'écorce de bouleau avait pris feu. Il commença à nourrir la flamme avec des feuilles sèches et les plus petites brindilles. Il ne pouvait pas les choisir comme il aurait voulu, car il lui fallait soulever le combustible avec la base de ses paumes.

---

10. **still :** 1) *encore, toujours* ; 2) *cependant.* Les deux sens se complètent ici.
11. **readily :** *volontiers, aisément, facilement.*
12. **in the way :** *qui gêne, qui fait obstacle à.* Cf. son contraire, **out of the way.**
13. **to lay, laid, laid :** *poser.* Ne pas confondre avec **to lie, lay, lain,** *être allongé, couché.*
14. **to pick and choose :** *se montrer difficile, faire le difficile* ; **to pick,** *choisir, sélectionner.* **To choose, chose, chosen,** *choisir.*
15. **fuel :** désigne toute espèce de *combustible,* y compris comme ici *le bois.*

Small pieces of rotten wood and green moss clung to the twigs, and he bit[1] them off as well as he could with his teeth. He cherished[2] the flame carefully and awkwardly[3]. It meant life, and it must not perish. The withdrawal of blood from the surface of his body now made him begin to shiver, and he grew more awkward. A large piece of green moss fell squarely on the little fire. He tried to poke[4] it out with his fingers, but his shivering frame[5] made him poke too far, and he disrupted[6] the nucleus of the little fire, the burning grasses and the tiny twigs separating and scattering. He tried to poke them together again, but in spite of the tenseness of the effort, his shivering got away with him[7], and the twigs were hopelessly scattered. Each twig gushed[8] a puff of smoke and went out. The fire provider had failed. As he looked apathetically[9] about him, his eyes chanced[10] on the dog, sitting across the ruins of the fire from him[11], in the snow, making restless[12], hunching[13] movements, slightly lifting one forefoot and then the other, shifting its weight back and forth on them with wistful eagerness[14].

The sight of the dog put a wild[15] idea into his head. He remembered the tale of the man, caught in a blizzard, who killed a steer[16] and crawled inside the carcass, and so was saved. He would kill[17] the dog and bury[18] his hands in the warm body until the numbness went out of them. Then he could build another fire. He spoke to the dog, calling it to him; but in his voice was a strange note of fear that frightened the animal, who had never known the man to speak in such way before.

---

1. **to bite, bit, bitten** : *mordre.*
2. **to cherish** : *chérir, veiller avec soin sur, nourrir* (un espoir, etc.), *soigner tendrement, attentivement.*
3. **awkwardly** : *maladroitement.* Adv. formé sur l'adj. **awkward**, *maladroit, gauche* ; *embarrassant, gênant.*
4. **to poke** : *pousser* (du doigt, du coude, du bras, du bout d'un bâton) ; *tisonner.* C'est **out** qui domine dans **to poke it out**.
5. **frame** : *carcasse.*
6. **to disrupt** : *perturber, désorganiser.*
7. **his shivering got away with him** : *son tremblement échappa à son contrôle.*
8. **to gush** : 1) *jaillir* ; 2) *lancer un jet* (eau, vapeur, etc.).
9. **apathetically** : de **apathetic**, *apathique. Apathie* : **apathy**.
10. **to chance** : 1) *se produire par hasard* ; 2) *faire quelque chose par hasard* ; 3) *prendre un risque.*

De petits morceaux de bois pourri et de mousse verte s'accrochaient aux brindilles, et il les arrachait tant bien que mal avec les dents. Il entretenait la flamme avec une maladresse appliquée. Elle était synonyme de vie, et ne devait pas mourir. Le sang refluait maintenant de la surface de sa peau ; il se mit à frissonner, ce qui accrut sa maladresse. Un gros morceau de mousse verte tomba en plein sur la flamme naissante. Il essaya de l'enlever avec ses doigts, mais ses tremblements donnèrent trop d'ampleur à son mouvement, et il détruisit le centre du petit foyer, séparant et éparpillant l'herbe incandescente et les menues brindilles. Il tenta de les rassembler, mais malgré l'intensité de son effort il ne put contrôler son tremblement et les brindilles furent irrémédiablement dispersées. Chacune d'elles exhala une bouffée de fumée et s'éteignit. Le pourvoyeur de feu avait échoué. Le regard morne qu'il promenait autour de lui tomba sur le chien, assis dans la neige de l'autre côté des vestiges du feu. L'animal, avec des mouvements nerveux qui lui arquaient le dos, soulevait légèrement une patte de devant, puis l'autre, déplaçant son poids de l'une sur l'autre avec une impatience inquiète.

La vue du chien fit naître une idée folle dans la tête de son maître. Il se souvint de l'histoire de l'homme qui, surpris par une tempête de neige, avait tué un bœuf et s'était introduit dans sa carcasse, sauvant ainsi sa propre vie. Il allait tuer le chien et enfouir ses mains dans ses entrailles chaudes jusqu'à ce qu'elles se dégourdissent. Il pourrait alors construire un autre feu. Il parla au chien, l'appelant à lui ; mais l'angoisse donnait à sa voix un accent étrange qui effraya l'animal, qui ne l'avait jamais entendu parler de cette façon.

---

11. **from him** : *par rapport à lui.*
12. **restless** : *agité ; inquiet.*
13. **hunching : to hunch**, *arrondir le dos.* **A hunch**, *une bosse.*
14. **wistful eagerness** : wistful, *désenchanté, pensif, empli d'un vague désir, d'un vague regret* ; **eagerness,** *nom formé sur l'adjectif* **eager,** *avide, assoiffé, ardent, impatient.*
15. **wild** : *au sens de* insensé, fantasque, fait au hasard.
16. **steer** : *jeune bœuf.*
17. **he would kill** : *il tuerait.*
18. **to bury :** △ pron. ['beri].

Something was the matter [1], and its suspicious nature sensed [2] danger – it knew not [3] what danger, but somewhere, somehow [4], in its brain arose an apprehension of the [5] man. It flattened its ears down at the sound of the man's voice, and its restless, hunching movements and the liftings and shiftings [6] of its forefeet became moe pronounced; but it would [7] not come to the man. He got on his hands and knees and crawled toward the dog. This unusual posture again excited suspicion, and the animal sidled [8] mincingly [9] away.

The man sat up [10] in the snow for a moment and struggled for calmness. Then he pulled on his mittens, by means of his teeth, and got upon his feet. He glanced down at first in order to assure himself that he was really standing up, for the absence of sensation in his feet left him unrelated to the earth. His erect position in itself [11] started to drive the webs [12] of suspicion from the dog's mind; and when he spoke peremptorily, with the sound of whip lashes in his voice, the dog rendered its customary allegiance [13] and came to him. As it came within reaching distance, the man lost his control. His arms flashed out to the dog, and he experienced genuine surprise when he discovered that his hands could not clutch, that there was neither bend [14] nor feeling in the fingers. He had forgotten for the moment that they were frozen and that they were freezing more and more. All this happened quickly, and before the animal could get away, he encircled its body with his arms. He sat down [15] in the snow, and in this fashion held the dog, while it snarled and whined and struggled.

---

1. **something was the matter :** cf. la question **what's the matter ?** is something (or anything) the matter?

2. **to sense :** *percevoir, pressentir, sentir de façon intuitive.*

3. **it knew not :** littéraire et beaucoup plus solennel que it **did not know**.

4. **somehow :** *en quelque sorte, d'une certaine manière.*

5. **the man : the** en anglais a toujours un sens spécifique, déterminatif (il a la même origine que le démonstratif **that**). Il s'agit donc du maître du chien, et non pas de l'homme en général. (*L'appréhension de l'homme*, l'être humain en général : **the apprehension of man**.)

6. **liftings and shiftings : to lift**, *lever, soulever ;* **to shift**, *changer* (ici changer de position).

7. **it would not come : would** avec son sens de *volonté* (**will**).

Quelque chose n'allait pas, et sa nature méfiante pressentait un danger... Il ne savait pas lequel mais quelque part dans sa cervelle une sorte d'appréhension naquit vis-à-vis de cet homme. Il aplatit ses oreilles en arrière au son de sa voix, l'ondulation nerveuse de son échine et le piétinement de ses pattes de devant s'accentuèrent ; mais il se refusait à aller vers l'homme. Ce dernier se mit à quatre pattes et rampa vers le chien. Cette position inhabituelle accrut l'inquiétude de l'animal, qui s'écarta furtivement.

L'homme s'assit un instant dans la neige et lutta pour retrouver son calme. Puis il enfila ses mitaines en utilisant ses dents, et se releva. Il regarda d'abord le sol pour s'assurer qu'il était bien debout, car ses pieds devenus insensibles ne le reliaient plus à la terre. Du seul fait de cette position debout, le voile de suspicion commença à se dissiper dans l'esprit de l'animal et quand son maître parla sur un ton péremptoire, sa voix claquant comme un coup de fouet, le chien manifesta sa soumission coutumière et vint à lui. Comme il arrivait à sa portée, l'homme n'y tint plus. Ses bras jaillirent pour saisir le chien, et il fut profondément surpris de voir que ses mains étaient incapables d'étreindre, et que ses doigts ne pouvaient ni s'incurver ni rien sentir. Il avait momentanément oublié qu'ils étaient gelés et se glaçaient de plus en plus. Tout cela se produisit rapidement, et avant que l'animal ne puisse s'échapper il entoura son corps de ses bras. Il s'assit dans la neige, maintenant ainsi le chien contre lui, tandis que ce dernier grognait et gémissait en tentant de se libérer.

---

8. **to sidle :** *se mouvoir de côté, de guingois, avec un air furtif ou inquiet.*

9. **mincingly :** adv. formé sur le participe présent **mincing**. **To mince** : *marcher à petits pas, d'un air affecté.*

10. **sat up : up** car il était précédemment allongé.

11. m. à m. *sa position debout en elle-même commença de...*

12. **web :** *toile, trame, tissus, membrane.* **Spider('s) web**, *toile d'araignée.*

13. **allegiance :** *allégeance.*

14. **bend :** *courbe, virage.* Désigne ici l'aptitude à se recourber. Verbe : **to bend, bent, bent**, *(se) courber.*

15. **he sat down : down** car il était précédemment debout.

But it was all he could do, hold its body encircled in his arms and sit there. He realized that he could not kill the dog. There was no way to do it [1]. With his helpless [2] hands he could neither draw nor hold his sheath knife nor throttle the animal. He released it, and it plunged [3] wildly away, with tail between its legs, and still snarling. It halted forty feet [4] away and surveyed [5] him curiously, with ears sharply pricked [6] forward.

The man looked down at his hands in order to locate them, and found them hanging on the ends of his arms. It struck him as curious that one should have to use his eyes in order to find out where his hands were. He began threshing his arms back and forth, beating the mittened hands against his sides. He did this for five minutes, violently, and his heart pumped enough blood up to the surface to put a stop to his shivering. But no sensation was aroused [7] in the hands. He had an impression that they hung like weights on the ends of his arms, but when he tried to run the impression down [8], he could not find it.

A certain fear of death, dull [9] and oppressive, came to him. This fear quickly became poignant as he realized that it was no longer a mere [10] matter of freezing his fingers and toes [11], or of losing his hands and feet, but that it was a matter of life and death [12] with the chances against him. This threw him into a panic [13], and he turned and ran up the creek bed along the old, dim trail. The dog joined in behind and kept up with him [14]. He ran blindly, without intention [15], in fear such as he had never known in his life.

---

1. m. à m. *il n'y avait pas de moyen pour le faire.*
2. **helpless :** *impuissant, incapable de réagir.*
3. **it plunged :** la traduction française doit distinguer entre **he** (*l'homme*) et **it** (*le chien*).
4. **forty feet :** △ orthographe. **Four, fourteen,** mais **forty. Foot :** 30,48 cm. **Forty feet :** environ 1 220 cm.
5. **to survey :** *étudier avec attention, regarder d'un œil attentif* ou *critique, évaluer.*
6. **to prick one's ears :** *dresser les oreilles.*
7. **to arouse :** *éveiller, provoquer, exciter, faire apparaître.* Ne pas confondre avec **to arise, arose, arisen,** qui est intransitif : *apparaître, s'éveiller, se produire.*
8. **to run the impression down :** de **to run down,** *poursuivre jusqu'à ce que l'on ait attrapé, saisi.* **To run down a criminal.**

Mais c'était tout ce qu'il pouvait faire, entourer de ses bras le corps de l'animal et rester assis là. Il comprit qu'il ne pourrait pas tuer le chien. Il n'en avait pas le moyen. De ses mains infirmes il ne pouvait ni dégainer, ni tenir son coutelas, ni étrangler l'animal. Il le relâcha, et le vit détaler éperdument, la queue entre les pattes, grognant encore. Le chien s'arrêta à une douzaine de mètres, l'examinant avec étonnement, les oreilles pointées vers l'avant.

L'homme regarda ses mains pour bien savoir où elles étaient, et les trouva suspendues au bout de ses bras. Cela lui parut curieux que l'on dût faire appel à sa vue pour savoir où étaient ses mains. Il se mit à faire aller ses bras d'avant en arrière, se frappant les côtes de ses mains gantées. Il s'y employa vigoureusement pendant cinq minutes, et son cœur fit circuler assez de sang jusqu'à la surface de son corps pour qu'il cessât de frissonner. Mais aucune sensation ne fut réveillée dans ses mains. Il avait l'impression qu'elles pendaient comme des poids morts au bout de ses bras, mais quand il voulut préciser cette impression elle s'effaça.

Une certaine peur de la mort, morne et oppressante, s'empara de lui. Cette peur se mua rapidement en angoisse quand il prit conscience qu'il ne s'agissait plus seulement de doigts ou d'orteils gelés, ou de perdre ses mains et ses pieds, mais que sa vie même était en jeu, et que la chance était contre lui. La panique l'envahit et, faisant demi-tour, il se mit à remonter en courant le lit du ruisseau le long de la vieille piste mal tracée. Le chien le suivit en allant au même rythme. L'homme courait sans rien voir, droit devant lui, en proie à une panique comme il n'en avait jamais connu.

---

9. **dull :** indique une sensation sourde mais durable et qui émousse la volonté et l'acuité intellectuelle.
10. **mere :** *pur, simple, pur et simple.*
11. m. à m. *de geler ses doigts* ou *ses orteils.*
12. m. à m. *une question de vie ou de mort.*
13. **to throw into a panic :** *affoler, plonger dans l'affolement.*
14. **to keep up with somebody :** *marcher au même rythme que quelqu'un ; se maintenir au niveau de quelqu'un* (en termes de revenu, etc.).
15. **without intention :** *sans but, sans objectif précis.*

Slowly, as he plowed [1] and floundered through the snow, he began to see things again – the banks of the creek, the old timber jams, the leafless aspens, and the sky. The running made him feel better. He did not shiver. Maybe, if he ran on, his feet would thaw out; and, anyway, if he ran far enough [2], he would reach camp and the boys. Without doubt he would lose some fingers and toes and some of his face; but the boys would take care of him, and save the rest of him when he got there [3]. And at the same time there was another thought in his mind that said he would never get to the camp and the boys; that he would soon be stiff [4] and dead. This thought he kept in the background and refused to consider. Sometimes it pushed itself forward and demanded [5] to be heard, but he thrust it back and strove to think of other things.

It struck him as curious that he could run at all [6] on feet so frozen that he could not feel them when they struck the earth and took the weight of his body. He seemed to himself to skim [7] along above the surface, and to have no connection with the earth. Somewhere he had once seen a winged Mercury [8], and he wondered if Mercury felt as he felt when skimming over the earth.

His theory of running until he reached camp and the boys had one flaw [9] in it: he lacked [10] the endurance. Several times he stumbled, and finally he tottered, crumpled up [11], and fell. When he tried to rise, he failed [12].

---

1. **to plow** : (G.B.) to plough.
2. m. à m. *s'il courait assez loin*. **Enough** se place toujours après un adjectif, devant un nom.
3. **when he got there** : **got**, prétérit modal à valeur de conditionnel.
4. **stiff** : *raide*. Stiffness, *raideur*.
5. **to demand** : ▲ *exiger*.
6. **at all** : formule symétrique dans une phrase affirmative de **not at all** dans une phrase négative. Signifie *le moindrement, en quoi que ce soit*. **If you are at all worried**, *si cela vous tracasse en quoi que ce soit*.
7. **to skim** : 1) *écrémer* ; 2) (ici) *effleurer, raser une surface, voler au ras du sol*.
8. **Mercury** : dieu romain du commerce, des voleurs et des voyageurs, fils de Jupiter et messager des dieux.

Lentement, alors qu'il labourait la neige de ses embardées, il commença à revoir ce qui l'entourait — les berges du ruisseau, les enchevêtrements de bois mort, les trembles sans feuilles, et le ciel. Il se sentait mieux, maintenant qu'il courait. Il ne frissonnait plus. Peut-être, s'il continuait à courir, ses pieds dégèleraient-ils ; et, de toute façon, s'il continuait assez longtemps, il rejoindrait le camp et les gars. Bien sûr, il perdrait quelques doigts et quelques orteils et des morceaux de son visage ; mais les gars s'occuperaient de lui et préserveraient tout le reste quand il serait là-bas. Et en même temps il y avait dans sa tête une autre idée qui disait qu'il ne rejoindrait jamais le camp et ses amis ; qu'il serait bientôt raide mort. Il refoulait cette pensée et refusait de l'envisager. Parfois elle tentait de s'imposer, exigeant d'être entendue, mais il la repoussait et s'efforçait de penser à autre chose.

Il trouva bizarre le fait même de pouvoir courir avec des pieds si gelés qu'il ne les sentait pas quand ils touchaient terre et supportaient le poids de son corps. Il avait l'impression de flotter au-dessus du sol, sans contact avec la surface. Jadis il avait vu quelque part un Mercure ailé et il se demanda si Mercure avait les mêmes sensations en volant autour du globe.

Sa théorie de courir jusqu'au camp pour y rejoindre les gars n'avait qu'une faille : il n'aurait jamais assez d'endurance. A plusieurs reprises il trébucha et finit par tituber, perdre l'équilibre et s'effondrer. C'est en vain qu'il essaya de se remettre debout.

---

9. **one flaw** : **flaw**, *défaut, imperfection* ; **one**, plus fort que **a**, signifie *une seule*, ou *une en particulier*.
10. **to lack** : *manquer*. ⚠ à la construction : *manquer de courage*, **to lack courage**, mais, à la forme en -ing, **to be lacking in courage**.
11. **to crumple up** : s'*effondrer*, physiquement et moralement (le premier sens de **to crumple** est *(se) friper, (se) froisser, (s') écraser*).
12. m. à m. *quand il essaya de se relever, il échoua.*

He must [1] sit and rest, he decided, and next time he would merely walk and keep on going. As he sat and regained his breath, he noted that he was feeling quite warm and comfortable [2]. He was not shivering, and it even seemed that a warm glow [3] had come to his chest and trunk [4]. And yet, when he touched his nose or cheeks, there was no sensation. Running would not thaw them out. Nor would it thaw out his hands and feet. Then the thought came to him that the frozen portions of his body must be extending. He tried to keep this thought down, to forget it, to think of something else; he was aware of the panicky feeling that it caused, and he was afraid of the panic. But the thought asserted itself, and persisted, until it produced a vision of his body totally frozen. This was too much, and he made another wild run along the trail. Once he slowed down to a walk, but the thought of the freezing extending itself made him run again [5].

And all the time the dog ran with him, at his heels. When he fell down a second time, it curled its tail over its forefeet and sat in front of him, facing him, curiously eager and intent [6]. The warmth and security of the animal angered him, and he cursed it till it flattened down its ears appeasingly. This time the shivering came more quickly upon the man. He was losing [7] in his battle with the frost [8]. It was creeping into his body from all sides. The thought of it drove him on, but he ran no more than a hundred feet, when he staggered and pitched [9] headlong [10]. It was his last panic [11].

---

1. **must** : il s'agit du prétérit.
2. **comfortable** : Δ pron. ['kʌmfərtəbl], (G.B.) ['kʌmftəbl].
3. **glow** : *lueur rouge* ; *incandescence* ; **glow** indique aussi une sensation de douce chaleur ; un des nombreux noms et verbes commençant par **gl** et indiquant une luminosité (**gleam, glint, glimmer, glisten**, etc.).
4. **trunk** : 1) *tronc (du corps), torse* ; 2) *tronc d'arbre* ; 3) *malle*.
5. **made him run again** : **to make** + verbe à l'infinitif sans **to**.
6. **intent** : *attentif, concentré*. **To be intent on something, on doing something**, *être résolu, déterminé à faire quelque chose*.
7. **to lose, lost, lost** : *perdre*. Un perdant : **a loser**. Ne pas confondre avec l'adjectif **loose** [luːs], *peu tendu, lâche, relâché, mal attaché*, sur lequel a été formé le verbe **to loosen**, *relâcher, assouplir*.
8. **the frost** : *le gel*.

Il fallait qu'il s'assoie pour se reposer, décida-t-il, et la prochaine fois il se contenterait de marcher, et de continuer ainsi. Quand il s'assit, reprenant son souffle, il remarqua qu'il se sentait bien au chaud. Il ne frissonnait pas et il lui semblait même qu'une douce chaleur rayonnait dans sa poitrine et le haut de son corps. Et pourtant, quand il touchait son nez ou ses joues, il ne sentait rien. Le fait de courir ne les dégelait pas, pas plus que cela ne dégelait ses mains et ses pieds. La pensée lui vint ensuite que les parties gelées de son corps devaient être en train de s'étendre. Il essaya de réprimer cette pensée, de l'oublier, de penser à autre chose ; il était conscient du sentiment de panique qu'elle déclenchait, et il avait peur de la panique. Mais cette pensée s'affirma, persistante, jusqu'à évoquer la vision de son corps entièrement gelé. C'en était trop, et il se lança à nouveau comme un fou sur la piste. Il ralentit une fois pour se mettre au pas, mais l'idée que le gel gagnait de nouvelles parties de son corps le fit reprendre sa course.

Et pendant tout ce temps le chien courait sur ses talons. Quand il tomba une deuxième fois, l'animal entoura sa queue autour de ses pattes de devant et s'assit en face de lui, le regardant avec une curiosité impatiente et intense. La chaleur confortable dont bénéficiait l'animal enragea l'homme, qui l'injuria jusqu'à ce qu'il aplatisse ses oreilles de façon conciliante. Cette fois, les tremblements saisirent l'homme plus rapidement. Il était en train de perdre sa bataille contre le froid, qui pénétrait son corps de toutes parts. Cette pensée le fit repartir, mais il ne courut pas plus d'une trentaine de mètres, au terme desquels il chancela et s'effondra de tout son long. Ce fut sa dernière panique.

---

9. **to pitch :** *plonger vers l'avant, tomber en avant* ; *tanguer* (navire).
10. **headlong :** *la tête la première.*
11. **panic :** ⚠ à l'orthographe. **Panic, to panic,** mais **panicky** (adj.) et **panicked, panicking.**

When he had recovered his breath and control, he sat up and entertained [1] in his mind the conception of meeting death with dignity. However, the conception did not come to him in such terms. His idea of it was that he had been making a fool [2] of himself, running around like a chicken with its head cut off − such was the simile [3] that occurred [4] to him. Well, he was bound to [5] freeze anyway, and he might as well [6] take it decently [7]. With this newfound peace of mind came the first glimmerings [8] of drowsiness [9]. A good idea, he thought, to sleep off to death. It was like taking an anesthetic. Freezing was not so bad as people thought. There were lots worse ways to die.

He pictured the boys finding his body next day. Suddenly he found himself with them, coming along the trail and looking for himself. And, still with them, he came around a turn in the trail and found himself lying in the snow. He did not belong with himself [10] any more, for even then he was out of himself, standing with the boys and looking at himself in the snow. It certainly was cold [11], was his thought. When he got back to the States he could tell the folks [12] what real cold was. He drifted [13] on from this to a vision of the old-timer on Sulphur Creek. He could see him quite clearly, warm and comfortable, and smoking a [14] pipe.

"You were right, old hoss [15]; you were right", the man mumbled to the old-timer of Sulphur Creek.

Then the man drowsed [16] off into what seemed to him the most comfortable and satisfying [17] sleep he had ever known. The dog sat facing him and waiting.

---

1. **to entertain :** 1) *divertir, amuser* ; 2) *avoir, nourrir, caresser une idée.*
2. **fool :** *idiot. Fou,* adj. : **insane.** *Un fou,* a lunatic, a madman (ce dernier mot impliquant un comportement violent).
3. **simile** ['simili] : *image, comparaison.*
4. **occurred :** de to occur [ə'kɜːr]. Redoublement du **r** aux formes en **-ed** et en **-ing,** du fait de l'accent tonique sur la deuxième syllabe.
5. **to be bound to** + verbe : *devoir se produire inévitablement.*
6. **he might as well :** *il pourrait aussi bien.*
7. **decently :** donne l'idée d'honnêteté ou, comme ici, de dignité.
8. **glimmerings :** de to **glimmer,** *jeter une faible lueur, miroiter.*
9. **drowsiness :** nom formé par l'adjonction du suffixe **-ness** à l'adj. drowsy, *assoupi, somnolent.* To feel drowsy, *avoir sommeil.*
10. **he did not belong with himself :** construction normale to

Quand il eut repris son souffle et son sang-froid, il s'assit et conçut l'intention de rencontrer la mort avec dignité. Cependant, l'intention ne lui en vint pas en ces termes. L'idée qu'il en avait était qu'il s'était conduit de façon ridicule, en courant au hasard comme un poulet dont on a coupé la tête — telle fut la comparaison qui se présenta à lui. Bon, puisque de toute façon il allait mourir de froid, autant valait faire preuve de décence. Avec cette tranquillité d'esprit nouvellement acquise vinrent les premiers signes d'assoupissement. Bonne idée, se dit-il, de s'endormir jusqu'à ce que la mort vous saisisse. C'était comme si on prenait un anesthésique. Mourir de froid n'était pas aussi terrible que les gens le croyaient. Il y avait des façons bien plus pénibles de mourir.

Il imagina les gars en train de trouver son corps le lendemain. Soudain, il se trouva parmi eux, remontant la piste à sa propre recherche. Et, toujours avec eux, il déboucha d'un tournant de la piste et se vit étendu dans la neige. Il ne s'appartenait plus à lui-même, car en cet instant il se voyait de l'extérieur, debout parmi les gars et regardant son propre corps dans la neige. La pensée lui vint qu'il faisait vraiment froid. Quand il retournerait aux États-Unis il pourrait dire aux amis ce que c'était que le froid véritable. L'ancien de Sulphur Creek lui apparut alors. Il le voyait très nettement, bien au chaud, fumant sa pipe.

« Tu avais raison, vieux cheval ; tu avais raison », marmonna-t-il à son intention.

Il fut ensuite gagné par une somnolence qui lui sembla le sommeil le plus agréable et le plus reposant qu'il ait jamais connu. Assis en face de lui, le chien attendait.

---

belong to somebody. **With** est plus approprié ici en insistant sur la séparation (**not ... with**).
11. **it certainly was cold :** mise en relief de **certainly** en le plaçant entre **it** et **was** (au lieu de **it was certainly cold**).
12. **folks :** ⚠ pron. [fəuks]. **l** non prononcé. *Les gens*, plus particulièrement *la famille*.
13. **to drift :** *dériver*.
14. **to smoke a pipe :** noter l'emploi de l'article indéfini **a**.
15. **hoss :** prononciation populaire de **horse**.
16. **to drowse :** *somnoler*. **To drowse off**, *s'assoupir*.
17. **satisfying :** qui donne une satisfaction pleine et entière, alors que **satisfactory** signifie *satisfaisant* au sens de *suffisant*.

The brief day drew to a close [1] in a long, slow twilight. There were no signs of a fire to be made, and, besides, never in the dog's experience had it known [2] a man to sit like that in the snow and make no fire. As the twilight drew on, its eager yearning for the fire mastered it, and with a great lifting and shifting of forefeet, it whined softly, then flattened its ears down in anticipation of being chidden [3] by the man. But the man remained silent. Later the dog whined loudly. And still later it crept close to the man and caught the scent of death. This made the animal bristle [4] and back away [5]. A little longer it delayed, howling under the stars that leaped [6] and danced and shone brightly in the cold sky [7]. Then it turned and trotted up the trail in the direction of the camp it knew, where were the other food providers and fire providers.

---

1. **close** [kləuz] : *fin, conclusion*. Prononcer avec un **z** final, à la différence de l'adjectif **close**, *proche* [kləus].
2. **had it known** : inversion auxiliaire/sujet dans une proposition commençant par **never**.
3. **to chide, chided, chided** ou **chid, chid,** ou **chid, chidden** : *réprimander, gronder*.
4. **to bristle** ['brisl] : *se hérisser*. **To bristle with something**, *être hérissé de*.
5. **to back away** : *se retirer, battre en retraite*.
6. **to leap, leaped, leaped** [li:pt], ou **leapt, leapt** [lept] : *sauter, bondir, jaillir* (flamme, lumière).

La brève journée, à son déclin, s'étirait en un long crépuscule. Rien n'indiquait qu'un feu allait être construit, et, en outre, c'était bien la première fois que le chien voyait un homme s'asseoir ainsi dans la neige et ne pas faire de feu. Alors que le crépuscule se prolongeait, il ne put contenir son désir impatient et, levant et déplaçant ses pattes de devant avec agitation, il gémit doucement, puis aplatit ses oreilles, s'attendant à se faire rabrouer par son maître. Mais l'homme resta silencieux. Plus tard le chien gémit bruyamment. Plus tard encore, il se glissa près de l'homme et perçut l'odeur de la mort. Le poil hérissé, l'animal recula. Il s'attarda encore, hurlant sous les étoiles qui jaillissaient, dansant et scintillant dans le ciel glacé. Puis il fit demi-tour et remonta la piste dans la direction du camp qu'il connaissait, et où se trouvaient les autres pourvoyeurs de nourriture et de feu.

---

7. **the cold sky :** cette indifférence de la nature au sort de l'individu était déjà présente dans « Love of Life » où l'éclat de l'été indien contrastait avec la situation désespérée du héros (pages 82, 84) ; elle constituait la trame du récit et des méditations du vieux Koskoosh dans « The Law of Life ». « Nature was not kindly to the flesh. She had no concern for that concrete thing called the individual », cf. page 16.

Révisions

Vous avez rencontré dans la nouvelle que vous venez de lire l'équivalent des expressions françaises suivantes.
Vous en souvenez-vous ?

1. Il y était habitué depuis longtemps.
2. Il y serait pour six heures.
3. Il n'y avait personne à qui parler.
4. Cela faisait des jours qu'il n'avait pas vu le soleil.
5. Il réfléchit un moment, en se frottant le nez et les joues.
6. Ses pieds étaient trempés et ses doigts engourdis.
7. Il se souvint des conseils de l'ancien et sourit.
8. C'était comme s'il venait d'entendre sa propre condamnation à mort.
9. Il n'était pas plus avancé.
10. Il y avait quelque chose qui n'allait pas.
11. Il s'était rendu ridicule.
12. A mesure que la flamme grandissait, il augmentait la taille des brindilles dont il la nourrissait.
13. Il n'aurait pas dû construire le feu sous l'arbre.
14. Quand il retournerait aux États-Unis, il pourrait dire aux gens ce que c'était qu'un froid véritable.

1. He was long used to it.
2. He would be there by six o'clock.
3. There was nobody to talk to.
4. It had been days since he had seen the sun.
5. He reflected awhile, rubbing his nose and cheeks.
6. His feet were wet and his fingers were numb.
7. He remembered the advice of the old-timer and smiled.
8. It was as though he had just heard his own sentence of death.
9. He was no better off.
10. Something was the matter.
11. He had made (had been making) a fool of himself.
12. As the flame grew stronger, he increased the size of the twigs with which he fed it.
13. He should not have built the fire under the tree.
14. When he got back to the States he could tell the folks what real cold was.

INDEX

R

ram (to), 12
range, 54
rattle (to), 50
raven, 84
ravenously, 66
raw, 48, 58
reach, 20
rear (to), 26, 70
recess, 124
reel (to), 38
reluctantly, 42
remnants, 76
remote, 126
restless, 136
riddle (to), 30
rip (to), 60
roar (to), 118
rub (to), 110
rumble (to), 96
rush, 44
rustle (to), 130

S

safe, 124
salmon, 22
sane, 94
savagely, 70
scatter (to), 30
scoop (to), 132
scratch (to), 132
seasoned, 118
secure, 130
sense (to), 138
shallow, 42
sheath, 126
sheer (adj.), 46, 50
sheer (to), 72
shingle, 54
shiver (to), 136, 144
shoot (to), 30

shove (to), 28, 114
shred, 46
shuffle (to), 20
shy (to), 110
sidle (to), 138
singe (to), 118
sink (to), 46
sizzle (to), 32
skim (to), 142
skirt (to), 112
slaver (to), 30
sled, 14, 104
slink (to), 64
slip (to), 90
slobber (to), 30
slouch (to), 94
slovenly, 28
sluggish, 78
smack (to), 20
smash (n.), 116
smite (to), 114
smo(u)lder (to), 40
smudgy, 46
snap (n.), 108
snap (to), 24, 126
snare (to), 44
snarl, 30
snarl (to), 14
sniff, 30
snort, 48
snort (to), 50
snowshoes, 26
snug, 118
socket, 50
soggy, 42, 48, 58
sop (to), 104
sour, 60
sparse, 54
spill (to), 68
splash (n.), 40
splash (to), 56
spoil (to), 22, 58

157

Pocket, une marque d'Univers Poche,
est un éditeur qui s'engage pour la
préservation de son environnement et
qui utilise du papier fabriqué à partir
de bois provenant de forêts gérées de
manière responsable.

Imprimé en France par

à Saint-Amand-Montrond (Cher)
en février 2013

POCKET – 12, avenue d'Italie – 75627 Paris Cedex 13

N° d'impression : 2001153
Dépôt légal : janvier 2009
Suite du premier tirage : février 2013
S13978/05